초등 수학 전문가가 만든 연산 교재
원리셈

3학년 **5**

• 곱셈과 나눗셈의 관계 •

지은이의 말

수학은 원리로부터

수학은 구체물의 관계를 숫자와 기호의 약속으로 나타내는 추상적인 학문입니다. 이 점이 아이들이 수학을 어려워하는 가장 큰 이유입니다. 이러한 수학은 제대로 된 이해를 동반할 때 비로소 힘을 발휘할 수 있습니다. 수학은 어느 단계에서나 원리가 가장 중요합니다.

수학 교육의 변화

답을 내는 방법만 알아도 되는 수학 교육의 시대는 지나고 있습니다. 연산도 한 가지 방법만 반복 연습하기 보다 다양한 풀이 방법이 중요합니다. 교과서는 왜 그렇게 해야 하는지 가르쳐 주고 다양한 방법을 생각하도록 하지만, 학생들은 단순하게 반복되는 연습에 원리는 잊어버리고 기계적으로 답을 내다보니 응용된 내용의 이해가 부족합니다.

연산 학습은 꾸준히

유초등 학습 단계에 따라 4권~6권의 구성으로 매일 10분씩 꾸준히 공부할 수 있습니다. 원리와 다양한 방법의 학습은 그림과 함께 재미있게, 연습은 다양하게 진행하되 마무리는 집중하여 진행하도록 했습니다. 부담 없는 하루 학습량으로 꾸준히 공부하다 보면 어느새 연산 실력이 부쩍 늘어난 것을 알 수 있습니다.

개정판 원리셈은

동영상 강의 확대/초등 고학년 원리 학습 과정 강화 등으로 교과 과정을 완벽하게 대비할 수 있도록 원리와 개념, 계산 방법을 학습합니다. 단계별 원리 학습은 물론이고 연습도 강화했습니다.

학부모님들의 연산 학습에 대한 고민이 원리셈으로 해결되었으면 하는 바람입니다.

지은이 *천종현*

원리셈의 특징

☑ **원리셈의 학습 구성**

한 권의 책은 매일 10분 / 매주 5일 / 6주 학습

☑ **원리셈의 시나브로 강해지는 학습 알고리즘**

초등 원리셈은

시작은 원리의 이해로부터, 마무리는 충분한 연습과 성취도 확인까지

☑ **체계적인 학습 구성**

쉽게 이해하고 스스로 공부!
실수가 많은 부분은 별도로 확인하고 연습!
주제에 따라 실전을 위한 확장적 사고가 필요한 내용까지!
원리로 시작되는 단계별 학습으로 곱셈구구마저 저절로 외워진다고 느끼도록!

원리셈 전체 단계

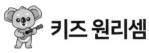 키즈 원리셈

5·6 세		6·7 세		7·8 세	
1권	5까지의 수	1권	10까지의 더하기 빼기 1	1권	7까지의 모으기와 가르기
2권	10까지의 수	2권	10까지의 더하기 빼기 2	2권	9까지의 모으기와 가르기
3권	10까지의 수 세어 쓰기	3권	10까지의 더하기 빼기 3	3권	덧셈과 뺄셈
4권	모아 세기	4권	20까지의 더하기 빼기 1	4권	10 가르기와 모으기
5권	빼어 세기	5권	20까지의 더하기 빼기 2	5권	10 만들어 더하기
6권	크기 비교와 여러 가지 세기	6권	20까지의 더하기 빼기 3	6권	10 만들어 빼기

 초등 원리셈

1학년		2학년		3학년	
1권	받아올림/내림 없는 두 자리 수 덧셈, 뺄셈	1권	두 자리 수 덧셈	1권	세 자리 수의 덧셈과 뺄셈
2권	덧셈구구	2권	두 자리 수 뺄셈	2권	(두/세 자리 수)×(한 자리 수)
3권	뺄셈구구	3권	세 수의 덧셈과 뺄셈	3권	(두/세 자리 수)×(두 자리 수)
4권	□ 구하기	4권	곱셈	4권	(두/세 자리 수)÷(한 자리 수)
5권	세 수의 덧셈과 뺄셈	5권	곱셈구구	5권	곱셈과 나눗셈의 관계
6권	(두 자리 수)±(한 자리 수)	6권	나눗셈	6권	분수

4학년		5학년		6학년	
1권	큰 수의 곱셈	1권	혼합 계산	1권	분수의 나눗셈
2권	큰 수의 나눗셈	2권	약수와 배수	2권	소수의 나눗셈
3권	분모가 같은 분수의 덧셈과 뺄셈	3권	분모가 다른 분수의 덧셈과 뺄셈	3권	비와 비율
4권	소수의 덧셈과 뺄셈	4권	분수와 소수의 곱셈	4권	비례식과 비례배분

초등 원리셈의 단계별 학습 목표

원리와 연습을 모두 잡는 원리셈!!

학년별 학습 목표와 다른 책에서는 만나기 힘든 특별한 내용을 확인해 보세요.

◉ 1학년 원리셈
모든 연산 과정 중 실수가 가장 많은 덧셈, 뺄셈의 집중 연습
여러 가지 계산 방법 알기
덧셈, 뺄셈의 관계를 이용한 '□ 구하기'의 이해

◉ 2학년 원리셈
두 자리 덧셈, 뺄셈의 여러 가지 계산 방법의 숙지와 이해
곱셈 개념을 폭넓게 이해하고, 곱셈구구를 힘들지 않게 외울 수 있는 구성
나눗셈은 3학년 교과의 내용이지만 곱셈구구를 외우는 것을 도우면서 곱셈구구의 범위에서 개념 위주 학습

◉ 3학년 원리셈
기본 연산은 정확한 이해와 충분한 연습
곱셈, 나눗셈의 관계를 이용한 '□ 구하기'의 이해
분수는 학생들이 어려워 하는 부분을 중점적으로 이해하고, 연습하도록 구성

◉ 4학년 원리셈
작은 수의 곱셈, 나눗셈 방법을 확장하여 이해하는 큰 수의 곱셈, 나눗셈
교과서에는 나오지 않는 실전적 연산을 포함
많이 틀리는 내용은 별도 집중학습

◉ 5학년 원리셈
연산은 개념과 유형에 따라 단계적으로 학습 후 충분한 연습
약수와 배수는 기본기를 단단하게 할 수 있는 체계적인 구성

◉ 6학년 원리셈
분수와 소수의 나눗셈은 원리를 단순화하여 이해
비의 개념을 확장하여 문장제 문제 등에서 만나는 비례 관계의 이해와 적용
비와 비례식은 중등 수학을 대비하는 의미도 포함. 강추 교재!!

3학년 구성과 특징

1권은 큰 수의 덧셈과 뺄셈을 2권~4권은 자리를 구분하여 곱셈과 나눗셈을 공부합니다. 5권은 곱셈과 나눗셈의 관계를 통해 검산과 모르는 수를 구하는 방법을 배웁니다. 6권의 분수는 학생들이 가장 어려움을 느끼는 부분을 집중 연습하도록 했습니다.

원리

수 모형, 동전 등을 이용하여 원리를 직관적으로 이해하고 쉽게 공부할 수 있도록 하였습니다.

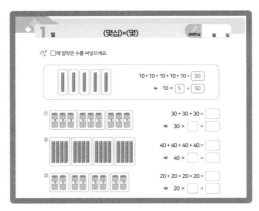
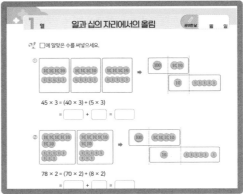

다양한 계산 방법

다양한 계산 방법을 공부함으로써 수를 다루는 감각을 키우고, 상황에 따라 더 정확하고 빠른 계산을 할 수 있도록 하였습니다.

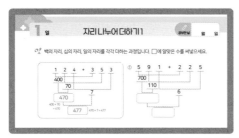

연습

기본 연습 문제를 중심으로 여러 형태의 문제로 지루하지 않게 반복하여 연습할 수 있도록 구성하였습니다.

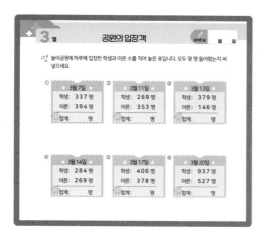

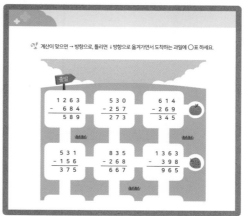

도전! 계산왕

주제가 구분되는 두 개의 단원은 정확성과 빠른 계산을 위한 집중 연습으로 주제를 마무리 합니다.

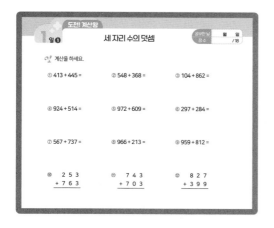

성취도 평가

개념의 이해와 연산의 수행에 부족한 부분은 없는지 성취도 평가를 통해 확인합니다.

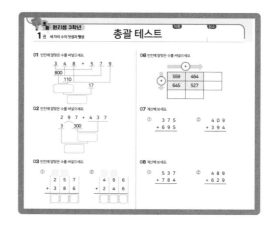

원리셈 100% 활용하기

✅ 책의 사이사이에 학생의 학습을 돕기 위한 저자의 내용을 잘 이용하세요.

📖 단원의 학습 내용과 방향

한 주차가 시작되는 쪽의 아래에 그 단원의 학습 내용과 어떤 방향으로 공부하는지를 설명해 놓았습니다.
학부모님이나 학생이 단원을 시작하기 전에 가볍게 읽어 보고 공부하도록 해 주세요.

📚 이해를 돕는 저자의 동영상 강의

처음 접하는 원리/개념과 연산 방법의 이해를 돕기 위한 동영상 강의가 있으니 이해가 어려운 내용은 QR코드를
이용하여 편리하게 동영상 강의를 보고, 공부하도록 하세요.

📘 학습 Tip   간략한 도움글은 각 쪽의 아래에 있습니다.

✏️ 천종현수학연구소 네이버 카페와 홈페이지를 활용하세요.

카페와 홈페이지에는 추가 문제 자료가 있고, 연산 외에서 수학 학습에 어려움을 상담 받을 수 있습니다.

네이버에서 천종현수학연구소를 검색하세요.

· **1** 주차 ·
곱셈과 나눗셈의 관계

곱셈과 나눗셈의 관계를 알아봅니다. 곱셈식과 나눗셈식을 바꾸어 보면 직접 나눗셈을 하지 않고도 곱셈식을 보고 나눗셈의 결과를 찾아낼 수 있고 나눗셈의 검산식의 원리를 이해하고 활용해 볼 수 있습니다.

에 알맞은 수를 써넣으세요.

$12 × 2 = 24$

→
$24 ÷ \boxed{2} = 12$

$24 ÷ \boxed{12} = 2$

①

$14 × 3 = 42$

→
$42 ÷ \boxed{} = 14$

$42 ÷ \boxed{} = 3$

②

$12 × 5 = 60$

→
$60 ÷ \boxed{} = 12$

$60 ÷ \boxed{} = 5$

곱셈식을 계산하고 나눗셈식을 2개씩 세워 보세요.

$17 × 2 =$ 34

34 ÷ 2 = 17
34 ÷ 17 = 2

① $15 × 6 =$ [ ]

[ ] ÷ [ ] = [ ]
[ ] ÷ [ ] = [ ]

② $4 × 19 =$ [ ]

[ ] ÷ [ ] = [ ]
[ ] ÷ [ ] = [ ]

③ $58 × 8 =$ [ ]

[ ] ÷ [ ] = [ ]
[ ] ÷ [ ] = [ ]

④ $48 × 6 =$ [ ]

[ ] ÷ [ ] = [ ]
[ ] ÷ [ ] = [ ]

 □에 알맞은 수를 써넣으세요.

$42 \div 3 = 14$

➡ $\boxed{3} \times 14 = 42$

①

$48 \div 2 = 24$

➡ $\boxed{} \times 24 = 48$

②

$99 \div 9 = 11$

➡ $\boxed{} \times 11 = 99$

나눗셈식을 계산하고 곱셈식을 2개씩 세워 보세요.

$57 \div 3 =$ 19

$3 \times 19 = 57$
$19 \times 3 = 57$

① $85 \div 5 =$ ⬚

⬚ $\times$ ⬚ $=$ ⬚
⬚ $\times$ ⬚ $=$ ⬚

② $98 \div 7 =$ ⬚

⬚ $\times$ ⬚ $=$ ⬚
⬚ $\times$ ⬚ $=$ ⬚

③ $116 \div 4 =$ ⬚

⬚ $\times$ ⬚ $=$ ⬚
⬚ $\times$ ⬚ $=$ ⬚

④ $68 \div 4 =$ ⬚

⬚ $\times$ ⬚ $=$ ⬚
⬚ $\times$ ⬚ $=$ ⬚

🐛 색칠된 칸의 가로와 세로에 쓰인 두 수의 곱을 적어 놓은 것입니다. 색칠된 칸의 빈 곳에 알맞은 수를 써넣으세요.

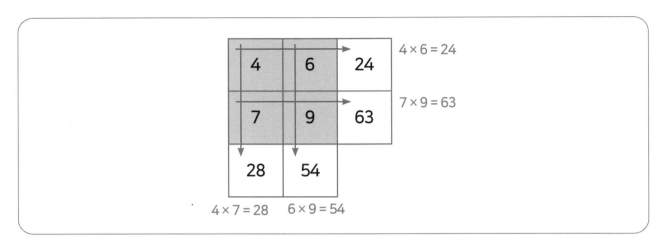

①

7		56
		8
14	32	

②

		32
5		15
10	48	

③

		68
	2	14
28	34	

④

	9	45
		22
55	18	

색칠된 칸의 가로와 세로에 쓰인 두 수의 곱을 적어 놓은 것입니다. 색칠된 칸의 빈 곳에 알맞은 수를 써넣으세요.

①

		45
		63
35	81	

②

		21
		16
24	14	

③

		16
		25
10	40	

④

		39
		18
26	27	

⑤

		24
		35
56	15	

⑥

		35
		36
21	60	

□에 알맞은 수를 써넣어서 검산해 보세요.

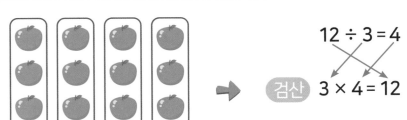

$12 \div 3 = 4$

검산 $3 \times 4 = 12$

(나누는 수) × (몫) = (나누어지는 수)

$40 \div 8 = 5$ ➡   검산 $\boxed{8} \times \boxed{5} = \boxed{40}$

① $54 \div 9 = 6$ ➡   검산 $\boxed{} \times \boxed{} = \boxed{}$

② $25 \div 5 = 5$ ➡   검산 $\boxed{} \times \boxed{} = \boxed{}$

③ $24 \div 8 = 3$ ➡   검산 $\boxed{} \times \boxed{} = \boxed{}$

④ $35 \div 5 = 7$ ➡   검산 $\boxed{} \times \boxed{} = \boxed{}$

나눗셈을 계산하고 검산식을 세워 검산해 보세요.

① 24 ÷ 6 = ☐

검산

② 48 ÷ 8 = ☐

검산

③ 30 ÷ 5 = ☐

검산

④ 27 ÷ 9 = ☐

검산

⑤ 60 ÷ 6 = ☐

검산

⑥ 15 ÷ 3 = ☐

검산

⑦ 49 ÷ 7 = ☐

검산

⑧ 28 ÷ 4 = ☐

검산

나눗셈을 계산하고 검산식을 세워 검산해 보세요.

①
$$9 \overline{\smash{)}72}$$
검산

②
$$8 \overline{\smash{)}40}$$
검산

③
$$7 \overline{\smash{)}70}$$
검산

④
$$5 \overline{\smash{)}55}$$
검산

⑤
$$4 \overline{\smash{)}24}$$
검산

⑥
$$4 \overline{\smash{)}48}$$
검산

⑦
$$9 \overline{\smash{)}18}$$
검산

⑧
$$6 \overline{\smash{)}36}$$
검산

☝️ ☐에 알맞은 수를 써넣어서 검산해 보세요.

$14 \div 3 = 4 \cdots 2$

검산 $3 \times 4 + 2 = 14$

(나누는 수) × (몫) + (나머지) = (나누어지는 수)

$45 \div 7 = 6 \cdots 3$ ➡️ 검산 $\boxed{7} \times \boxed{6} + \boxed{3} = \boxed{45}$

① $38 \div 4 = 9 \cdots 2$ ➡️ 검산 $\boxed{} \times \boxed{} + \boxed{} = \boxed{}$

② $29 \div 5 = 5 \cdots 4$ ➡️ 검산 $\boxed{} \times \boxed{} + \boxed{} = \boxed{}$

③ $50 \div 6 = 8 \cdots 2$ ➡️ 검산 $\boxed{} \times \boxed{} + \boxed{} = \boxed{}$

④ $31 \div 9 = 3 \cdots 4$ ➡️ 검산 $\boxed{} \times \boxed{} + \boxed{} = \boxed{}$

나눗셈을 계산하고 검산식을 세워 검산해 보세요.

① $77 \div 4 = \boxed{} \cdots \boxed{}$

검산

② $86 \div 6 = \boxed{} \cdots \boxed{}$

검산

③ $76 \div 3 = \boxed{} \cdots \boxed{}$

검산

④ $95 \div 7 = \boxed{} \cdots \boxed{}$

검산

⑤ $63 \div 5 = \boxed{} \cdots \boxed{}$

검산

⑥ $43 \div 2 = \boxed{} \cdots \boxed{}$

검산

⑦ $99 \div 8 = \boxed{} \cdots \boxed{}$

검산

⑧ $58 \div 4 = \boxed{} \cdots \boxed{}$

검산

나눗셈을 계산하고 검산식을 세워 검산해 보세요.

①
$$5 \overline{)63}$$
검산 _____

②
$$4 \overline{)97}$$

검산 _____

③
$$6 \overline{)89}$$
검산 _____

④
$$3 \overline{)52}$$

검산 _____

⑤
$$5 \overline{)94}$$
검산 _____

⑥
$$7 \overline{)86}$$

검산 _____

⑦
$$4 \overline{)74}$$
검산 _____

⑧
$$3 \overline{)47}$$

검산 _____

🔎 글과 그림을 보고 물음에 알맞은 식을 세우고 답을 구하세요.

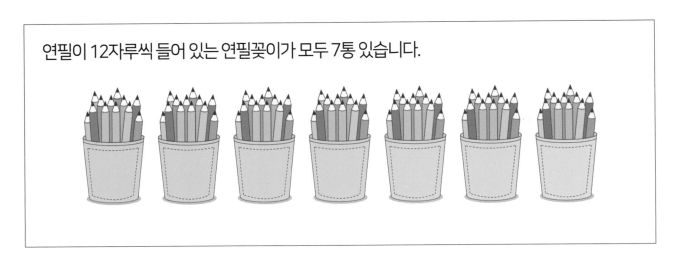

연필이 12자루씩 들어 있는 연필꽂이가 모두 7통 있습니다.

★ 연필은 모두 몇 자루인지 곱셈식으로 나타내 보세요.

$$12 \times 7 = 84$$

① 연필꽂이에 있는 연필은 각각 몇 자루인지 나눗셈식으로 나타내 보세요.

$$\boxed{} \div \boxed{} = \boxed{}$$

② 연필꽂이는 모두 몇 개인지 나눗셈식으로 나타내 보세요.

$$\boxed{} \div \boxed{} = \boxed{}$$

🔔 민규네 학교 남학생 96명이 8명씩 조를 이루어 체육 대회를 하려고 합니다. 물음에 답하세요.

① 체육 대회에 참가하는 조는 몇 개인지 나눗셈식으로 나타내 보세요.

$$\boxed{} \div \boxed{} = \boxed{}$$

② 민규네 학교 남학생은 모두 몇 명인지 곱셈식으로 나타내 보세요.

$$\boxed{} \times \boxed{} = \boxed{}$$

🔔 탁구공 144개를 9개의 상자에 똑같이 나누어 담으려고 합니다. 물음에 답하세요.

③ 상자 하나에 담은 탁구공은 몇 개인지 나눗셈식으로 나타내 보세요.

$$\boxed{} \div \boxed{} = \boxed{}$$

④ 탁구공은 모두 몇 개인지 곱셈식으로 나타내 보세요.

$$\boxed{} \times \boxed{} = \boxed{}$$

문제를 읽고 알맞은 식과 답을 쓰고 검산식을 세워 검산해 보세요.

① 민수는 할머니 댁의 오이 농장에서 91개의 오이를 따서 7개의 바구니에 똑같이 담았습니다. 바구니 하나에 담긴 오이는 몇 개일까요?

식 : _____   답 : _____ 개

검산 : _____

② 성혁이는 빨간색, 파란색, 노란색, 흰색 풍선을 같은 개수로 샀더니 모두 148개가 되었습니다. 이 중 흰색 풍선은 몇 개일까요?

식 : _____   답 : _____ 개

검산 : _____

③ 길이가 279 cm인 테이프를 9 cm씩 잘라 나갔습니다. 테이프를 더 이상 자를 수 없을 때까지 잘랐다면 잘린 테이프는 모두 몇 개일까요?

식 : _____   답 : _____ 개

검산 : _____

④ 꽃집에서 장미꽃 90송이를 똑같이 나누어 6다발로 만들어 팔고 있습니다. 한 다발에는 장미꽃 몇 송이가 들어 있을까요?

식 : _____   답 : _____ 송이

검산 : _____

• **2**주차 •

도전! 계산왕

나눗셈의 검산식

💡 나눗셈의 몫과 나머지를 구하고, 검산식을 쓰세요.

①

$2\overline{)85}$

검산 _____

②

$9\overline{)89}$

검산 _____

③

$2\overline{)846}$

검산 _____

④

$5\overline{)845}$

검산 _____

⑤

$9\overline{)684}$

검산 _____

⑥

$3\overline{)949}$

검산 _____

나눗셈의 검산식

나눗셈의 몫과 나머지를 구하고, 검산식을 쓰세요.

①

$3\overline{)64}$

검산 _____

②

$3\overline{)71}$

검산 _____

③

$5\overline{)637}$

검산 _____

④

$6\overline{)542}$

검산 _____

⑤

$4\overline{)392}$

검산 _____

⑥

$3\overline{)601}$

검산 _____

나눗셈의 검산식

💡 나눗셈의 몫과 나머지를 구하고, 검산식을 쓰세요.

①
$$3 \overline{)58}$$

검산 _____

②
$$5 \overline{)86}$$

검산 _____

③
$$9 \overline{)911}$$

검산 _____

④
$$7 \overline{)606}$$

검산 _____

⑤
$$3 \overline{)138}$$

검산 _____

⑥
$$3 \overline{)628}$$

검산 _____

나눗셈의 검산식

나눗셈의 몫과 나머지를 구하고, 검산식을 쓰세요.

①

$2 \overline{)39}$

검산 _____

②

$5 \overline{)84}$

검산 _____

③

$7 \overline{)978}$

검산 _____

④

$4 \overline{)772}$

검산 _____

⑤

$5 \overline{)504}$

검산 _____

⑥

$6 \overline{)601}$

검산 _____

3일 **❶**

나눗셈의 검산식

나눗셈의 몫과 나머지를 구하고, 검산식을 쓰세요.

①
$$7 \overline{)33}$$

검산 _____

②
$$5 \overline{)31}$$

검산 _____

③
$$9 \overline{)984}$$

검산 _____

④
$$2 \overline{)213}$$

검산 _____

⑤
$$6 \overline{)968}$$

검산 _____

⑥
$$5 \overline{)657}$$

검산 _____

나눗셈의 검산식

공부한날 | 월 | 일
점수 | | /6

나눗셈의 몫과 나머지를 구하고, 검산식을 쓰세요.

①
$$8\overline{)34}$$

검산 _____

②
$$7\overline{)45}$$

검산 _____

③
$$9\overline{)869}$$

검산 _____

④
$$5\overline{)752}$$

검산 _____

⑤
$$7\overline{)704}$$

검산 _____

⑥
$$3\overline{)904}$$

검산 _____

나눗셈의 검산식

🔍 나눗셈의 몫과 나머지를 구하고, 검산식을 쓰세요.

①

$$3 \overline{\smash{)}53}$$

검산 _____

②

$$6 \overline{\smash{)}56}$$

검산 _____

③

$$2 \overline{\smash{)}580}$$

검산 _____

④

$$6 \overline{\smash{)}570}$$

검산 _____

⑤

$$9 \overline{\smash{)}524}$$

검산 _____

⑥

$$2 \overline{\smash{)}993}$$

검산 _____

나눗셈의 검산식

나눗셈의 몫과 나머지를 구하고, 검산식을 쓰세요.

①

$$3\overline{)87}$$

검산 _____

②

$$9\overline{)25}$$

검산 _____

③

$$7\overline{)670}$$

검산 _____

④

$$6\overline{)733}$$

검산 _____

⑤

$$3\overline{)587}$$

검산 _____

⑥

$$7\overline{)342}$$

검산 _____

나눗셈의 검산식

🔍 나눗셈의 몫과 나머지를 구하고, 검산식을 쓰세요.

①

7)40

검산 _____

②

8)36

검산 _____

③

2)931

검산 _____

④

3)479

검산 _____

⑤

4)120

검산 _____

⑥

9)317

검산 _____

나눗셈의 검산식

5일 ❷

🎯 나눗셈의 몫과 나머지를 구하고, 검산식을 쓰세요.

①

$9\overline{\smash{\big)}83}$

검산 _____

②

$2\overline{\smash{\big)}76}$

검산 _____

③

$6\overline{\smash{\big)}822}$

검산 _____

④

$4\overline{\smash{\big)}534}$

검산 _____

⑤

$2\overline{\smash{\big)}366}$

검산 _____

⑥

$9\overline{\smash{\big)}246}$

검산 _____

• **3**주차 •

□×(몇)

다양한 곱셈식에서 □를 구하는 것을 공부합니다. 1일차에는 □가 있는 곱셈을 나눗셈으로 바꾸는 연습을 하고, 2일차부터 □가 있는 곱셈식에서 □에 알맞은 수를 구합니다.

관계있는 곱셈식과 나눗셈식을 선으로 이어 보고 □에 알맞은 수를 써넣으세요.

3 × □ = 51 •

• 84 ÷ 7 = □

9 × □ = 72 •

• 52 ÷ 4 = □

4 × □ = 52 •

• 75 ÷ 5 = □

7 × □ = 84 •

• 72 ÷ 9 = □

6 × □ = 96 •

• 51 ÷ 3 = □

5 × □ = 75 •

• 96 ÷ 6 = □

□가 있는 곱셈식을 나눗셈식으로 바꾸고 □에 알맞은 수를 써넣으세요.

7 × [11] = 77

➡ 77 ÷ 7 = 11

① 6 × [ ] = 54

➡ _____

② 3 × [ ] = 78

➡ _____

③ 2 × [ ] = 126

➡ _____

④ 5 × [ ] = 125

➡ _____

⑤ 4 × [ ] = 72

➡ _____

⑥ 9 × [ ] = 108

➡ _____

⑦ 8 × [ ] = 120

➡ _____

⑧ 7 × [ ] = 140

➡ _____

⑨ 6 × [ ] = 84

➡ _____

□가 있는 곱셈식을 나눗셈식으로 바꾸고 □에 알맞은 수를 써넣으세요.

$\boxed{16} \times 7 = 112$

➡ $112 \div 7 = 16$

_____

① $\boxed{} \times 2 = 108$

➡

_____

② $\boxed{} \times 5 = 95$

➡

_____

③ $\boxed{} \times 6 = 126$

➡

_____

④ $\boxed{} \times 8 = 128$

➡

_____

⑤ $\boxed{} \times 4 = 192$

➡

_____

⑥ $\boxed{} \times 3 = 78$

➡

_____

⑦ $\boxed{} \times 9 = 153$

➡

_____

⑧ $\boxed{} \times 8 = 320$

➡

_____

⑨ $\boxed{} \times 5 = 525$

➡

_____

동영상 해설

🔍 □에 알맞은 수를 써넣으세요.

▲ × 6 = 48
➡ 48 ÷ 6 = ▲

▲ = 8

① 7 × ▲ = 35
➡ 35 ÷ 7 = ▲

▲ =

② ▲ × 2 = 34
➡ 34 ÷ 2 = ▲

▲ =

③ 5 × ▲ = 70
➡ 70 ÷ 5 = ▲

▲ =

④ ▲ × 3 = 48
➡ 48 ÷ 3 = ▲

▲ =

⑤ 4 × ▲ = 56
➡ 56 ÷ 4 = ▲

▲ =

⑥ ▲ × 2 = 152
➡ 152 ÷ 2 = ▲

▲ =

⑦ 6 × ▲ = 732
➡ 732 ÷ 6 = ▲

▲ =

☝️ □에 알맞은 수를 써넣으세요.

① $\boxed{} \times 3 = 24$

② $5 \times \boxed{} = 30$

③ $\boxed{} \times 7 = 70$

④ $2 \times \boxed{} = 42$

⑤ $\boxed{} \times 5 = 90$

⑥ $8 \times \boxed{} = 88$

⑦ $\boxed{} \times 4 = 84$

⑧ $6 \times \boxed{} = 90$

⑨ $\boxed{} \times 8 = 96$

⑩ $4 \times \boxed{} = 72$

⑪ $\boxed{} \times 9 = 198$

⑫ $7 \times \boxed{} = 392$

⑬ $\boxed{} \times 6 = 822$

⑭ $3 \times \boxed{} = 879$

⑮ $\boxed{} \times 4 = 708$

⑯ $7 \times \boxed{} = 525$

□에 알맞은 수를 써넣으세요.

①
6 × ☐ = 48
6 × ☐ = 78

②
☐ × 9 = 36
☐ × 16 = ☐

③
7 × ☐ = 63
7 × ☐ = 91

④
☐ × 2 = 62
☐ × 5 = ☐

⑤
3 × ☐ = 45
3 × ☐ = 84

⑥
☐ × 6 = 72
☐ × 8 = ☐

⑦
5 × ☐ = 60
5 × ☐ = 265

⑧
☐ × 7 = 224
☐ × 9 = ☐

□에 알맞은 수를 써넣으세요.

①
$$\begin{array}{r} \square\,\square\,\square \\ \times\qquad 3 \\ \hline 3\ \ 8\ \ 1 \end{array}$$

②
$$\begin{array}{r} \square\,\square\,\square \\ \times\qquad 5 \\ \hline 5\ \ 2\ \ 0 \end{array}$$

③
$$\begin{array}{r} \square\,\square\,\square \\ \times\qquad 4 \\ \hline 6\ \ 0\ \ 8 \end{array}$$

④
$$\begin{array}{r} \square\,\square\,\square \\ \times\qquad 7 \\ \hline 8\ \ 8\ \ 9 \end{array}$$

⑤
$$\begin{array}{r} \square\,\square\,\square \\ \times\qquad 8 \\ \hline 9\ \ 5\ \ 2 \end{array}$$

⑥
$$\begin{array}{r} \square\,\square\,\square \\ \times\qquad 2 \\ \hline 9\ \ 5\ \ 6 \end{array}$$

⑦
$$\begin{array}{r} \square\,\square\,\square \\ \times\qquad 9 \\ \hline 9\ \ 6\ \ 3 \end{array}$$

⑧
$$\begin{array}{r} \square\,\square\,\square \\ \times\qquad 6 \\ \hline 7\ \ 3\ \ 8 \end{array}$$

□에 알맞은 수를 써넣으세요.

①
```
    □ 2 □
  ×     5
  ───────
    6 3 0
```

②
```
    2 □ □
  ×     3
  ───────
    8 2 2
```

③
```
    □ □ 1
  ×     6
  ───────
    9 0 6
```

④
```
    □ 1 □
  ×     4
  ───────
    8 7 6
```

⑤
```
    3 □ □
  ×     3
  ───────
    9 5 1
```

⑥
```
    □ 7 □
  ×     4
  ───────
    7 0 4
```

⑦
```
    □ □ 6
  ×     6
  ───────
    9 3 6
```

⑧
```
    □ 4 □
  ×     3
  ───────
    4 2 9
```

□에 알맞은 수를 써넣으세요.

①
	□	5	1
×			2
	7	0	2

②
	□	□	□
×			4
	5	4	8

③
	□	3	□
×			4
	9	2	8

④
	□	□	□
×			3
	9	6	9

⑤
	□	□	□
×			4
	6	8	8

⑥
	□	□	8
×			2
	4	7	6

⑦
	□	5	□
×			5
	7	6	0

⑧
	□	□	□
×			6
	8	5	8

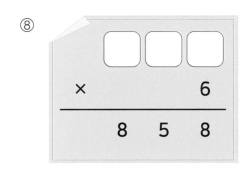

연산 퍼즐

공부한 날 월 일

☆이 나타내는 수가 가장 작은 것에 ◯표, 가장 큰 것에 △표 하세요.

☆ × 3 = 108	5 × ☆ = 175
4 × ☆ = 148	☆ × 8 = 304

☆ × 3 = 135	☆ × 8 = 352
4 × ☆ = 188	9 × ☆ = 378

☆ × 5 = 480	4 × ☆ = 376
☆ × 7 = 644	8 × ☆ = 760

6 × ☆ = 144	☆ × 7 = 161
8 × ☆ = 176	☆ × 8 = 200

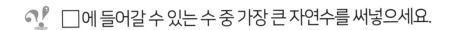 □에 들어갈 수 있는 수 중 가장 큰 자연수를 써넣으세요.

① [　　] × 3 < 174

② 5 × [　　] < 375

③ [　　] × 7 < 714

④ 2 × [　　] < 348

⑤ [　　] × 7 < 595

⑥ 9 × [　　] < 963

⑦ [　　] × 4 < 868

⑧ 6 × [　　] < 762

⑨ [　　] × 5 < 475

⑩ 7 × [　　] < 665

🎈 □ 안의 수를 찾아 집으로 가는 길을 그리세요.

□ × 7 = 98	15	9 × □ = 99	12	□ × 3 = 39	14
14		11		13	
□ × 3 = 45	13	6 × □ = 78	14	□ × 4 = 64	16
15		15		15	
□ × 9 = 108	12	7 × □ = 91	14	□ × 5 = 70	16
13		13		12	

문장제

글과 그림을 보고 □가 있는 곱셈식을 세우고 답을 구하세요.

사과가 □개씩 들어 있는 상자가 모두 5개 있습니다.

★ 사과가 모두 150개일 때, 한 상자에 사과가 몇 개 들어 있나요?

식 : ___□ × 5 = 150_____ 답 : ___30___ 개

① 사과가 모두 215개일 때, 한 상자에 사과가 몇 개 들어 있나요?

식 : _____ 답 : _____ 개

② 사과가 모두 325개일 때, 한 상자에 사과가 몇 개 들어 있나요?

식 : _____ 답 : _____ 개

😊 문제를 읽고 □가 있는 곱셈식을 세우고 답을 구하세요.

① 민서는 매일 줄넘기를 같은 횟수만큼 하였습니다. 4일 동안 줄넘기를 모두 288회 했다면 민서는 하루에 줄넘기를 몇 회 했나요?

식 : _____   답 : _____ 회

② 어느 문구점에서 같은 종류의 지우개 5개를 사고 770원을 냈습니다. 지우개 1개는 얼마인가요?

식 : _____   답 : _____ 원

③ 학생들을 몇 명씩 똑같이 나누어 6개의 모둠을 만들었습니다. 학생들이 모두 84명일 때, 한 모둠에 몇 명씩 있을까요?

식 : _____   답 : _____ 명

④ 지효는 일주일 동안 매일 같은 개수의 수학 문제를 풀어서 모두 98개의 수학 문제를 풀었습니다. 지효는 하루에 수학 문제를 몇 개 풀었나요?

식 : _____   답 : _____ 개

문제를 읽고 ☐가 있는 곱셈식을 세우고 답을 구하세요.

① 한 봉지에 8개씩 들어 있는 사탕이 몇 봉지 있습니다. 128명의 학생에게 사탕을 한 개씩 나누어 주려면 사탕이 몇 봉지 필요한가요?

식 : _____ 답 : _____ 봉지

② 유진이네 반 학생들은 모두 9살이고, 학생들의 나이의 합은 198입니다. 유진이네 반 학생들은 모두 몇 명인가요?

식 : _____ 답 : _____ 명

③ 달팽이가 한 시간에 4 m씩 움직입니다. 달팽이가 500 m의 거리를 쉬지 않고 움직이려면 몇 시간 동안 움직여야 하나요?

식 : _____ 답 : _____ 시간

④ 꽃다발 한 개를 만드는 데 꽃 4송이가 필요합니다. 꽃 312송이로 꽃다발을 몇 개 만들 수 있나요?

식 : _____ 답 : _____ 개

4주차

□÷(몇)

나누어지는 수를 모르는 나눗셈에서 나누어지는 수를 구하는 것을 공부합니다. 1일차에는 □가 있는 나눗셈을 곱셈으로 바꾸는 연습을 하고, 2일차에는 나누어떨어지는 나눗셈에서 □에 알맞은 수를 구하고, 3일차에는 나머지가 있는 나눗셈에서 □에 알맞은 수를 구합니다.

🐛 관계있는 식을 선으로 이어 보고 □에 알맞은 수를 써넣으세요.

| ☐ ÷ 4 = 13 … 2 | • | • | 9 × 18 = ☐ |

| ☐ ÷ 7 = 14 | • | • | 5 × 17 = ☐ |

| ☐ ÷ 6 = 15 … 5 | • | • | 4 × 13 + 2 = ☐ |

| ☐ ÷ 5 = 17 | • | • | 7 × 14 = ☐ |

| ☐ ÷ 9 = 18 | • | • | 8 × 11 + 4 = ☐ |

| ☐ ÷ 8 = 11 … 4 | • | • | 6 × 15 + 5 = ☐ |

□가 있는 나눗셈식을 곱셈이 들어간 식으로 바꾸고 □에 알맞은 수를 써넣으세요.

$$\boxed{133} \div 7 = 19$$

➡ 7 × 19 = 133

$$\boxed{151} \div 9 = 16 \cdots 7$$

➡ 9 × 16 + 7 = 151

① $\boxed{} \div 5 = 47$

➡ _____

② $\boxed{} \div 4 = 57 \cdots 3$

➡ _____

③ $\boxed{} \div 6 = 34$

➡ _____

④ $\boxed{} \div 9 = 12 \cdots 4$

➡ _____

⑤ $\boxed{} \div 5 = 45$

➡ _____

⑥ $\boxed{} \div 2 = 85 \cdots 1$

➡ _____

⑦ $\boxed{} \div 3 = 39$

➡ _____

⑧ $\boxed{} \div 8 = 57 \cdots 3$

➡ _____

주어진 식을 계산한 다음, 나눗셈식의 ☐에 알맞은 수를 써넣으세요.

$4 \times 19 = 76$

$2 \times 47 =$

$8 \times 17 =$

$3 \times 55 =$

$3 \times 43 =$

$5 \times 16 + 4 = 84$

$9 \times 27 + 6 =$

$4 \times 43 + 2 =$

$9 \times 12 + 7 =$

$6 \times 36 + 5 =$

$\boxed{76} \div 4 = 19$

$76 \div 4 = 19 \leftrightarrow 4 \times 19 = 76$

$\boxed{84} \div 5 = 16 \cdots 4$

$84 \div 5 = 16 \cdots 4 \leftrightarrow 5 \times 16 + 4 = 84$

① $\boxed{} \div 3 = 55$

② $\boxed{} \div 6 = 36 \cdots 5$

③ $\boxed{} \div 2 = 47$

④ $\boxed{} \div 9 = 12 \cdots 7$

⑤ $\boxed{} \div 3 = 43$

⑥ $\boxed{} \div 4 = 43 \cdots 2$

⑦ $\boxed{} \div 8 = 17$

⑧ $\boxed{} \div 9 = 27 \cdots 6$

공부한 날   월   일

🐱 □에 알맞은 수를 써넣으세요.

동영상 해설

■ ÷ 5 = 14

➡ 5 × 14 = ■

■ = [70]

① ■ ÷ 8 = 17

➡ 8 × 17 = ■

■ = [   ]

② ■ ÷ 3 = 13

➡ 3 × 13 = ■

■ = [   ]

③ ■ ÷ 4 = 17

➡ 4 × 17 = ■

■ = [   ]

④ ■ ÷ 7 = 14

➡ 7 × 14 = ■

■ = [   ]

⑤ ■ ÷ 6 = 16

➡ 6 × 16 = ■

■ = [   ]

⑥ ■ ÷ 2 = 56

➡ 2 × 56 = ■

■ = [   ]

⑦ ■ ÷ 8 = 21

➡ 8 × 21 = ■

■ = [   ]

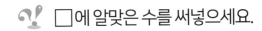 □에 알맞은 수를 써넣으세요.

① $\boxed{} \div 5 = 37$

② $\boxed{} \div 9 = 17$

③ $\boxed{} \div 8 = 22$

④ $\boxed{} \div 7 = 91$

⑤ $\boxed{} \div 3 = 14$

⑥ $\boxed{} \div 6 = 30$

⑦ $\boxed{} \div 5 = 23$

⑧ $\boxed{} \div 4 = 46$

⑨ $\boxed{} \div 2 = 95$

⑩ $\boxed{} \div 3 = 74$

⑪ $\boxed{} \div 8 = 28$

⑫ $\boxed{} \div 5 = 35$

⑬ $\boxed{} \div 4 = 47$

⑭ $\boxed{} \div 4 = 22$

⑮ $\boxed{} \div 5 = 48$

⑯ $\boxed{} \div 9 = 23$

□에 알맞은 수를 써넣으세요.

①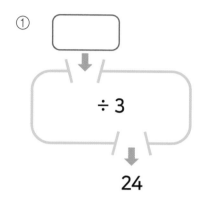
÷ 3
24

②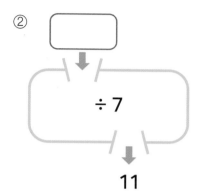
÷ 7
11

③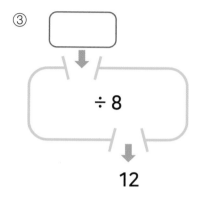
÷ 8
12

④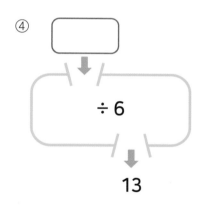
÷ 6
13

⑤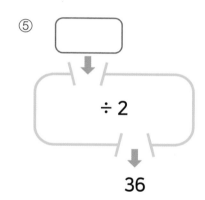
÷ 2
36

⑥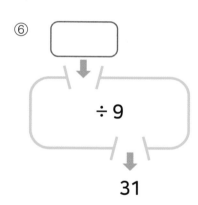
÷ 9
31

⑦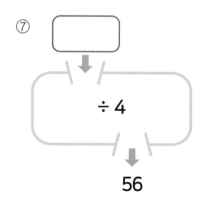
÷ 4
56

⑧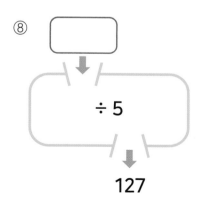
÷ 5
127

⑨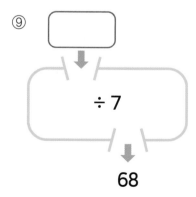
÷ 7
68

□에 알맞은 수를 써넣으세요.

■ ÷ 7 = 11 ⋯ 3

➡ 7 × 11 + 3 = ■

■ = 80

①

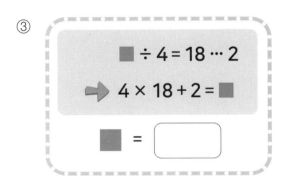

■ ÷ 8 = 13 ⋯ 2

➡ 8 × 13 + 2 = ■

■ =

②

■ ÷ 5 = 11 ⋯ 4

➡ 5 × 11 + 4 = ■

■ =

③

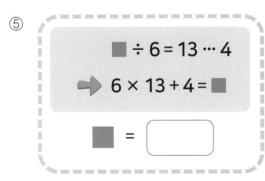

■ ÷ 4 = 18 ⋯ 2

➡ 4 × 18 + 2 = ■

■ =

④

■ ÷ 7 = 14 ⋯ 5

➡ 7 × 14 + 5 = ■

■ =

⑤

■ ÷ 6 = 13 ⋯ 4

➡ 6 × 13 + 4 = ■

■ =

⑥

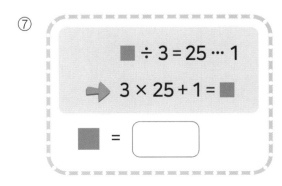

■ ÷ 5 = 19 ⋯ 2

➡ 5 × 19 + 2 = ■

■ =

⑦

■ ÷ 3 = 25 ⋯ 1

➡ 3 × 25 + 1 = ■

■ =

□에 알맞은 수를 써넣으세요.

① $\boxed{} \div 4 = 17 \cdots 3$　　② $\boxed{} \div 6 = 19 \cdots 3$

③ $\boxed{} \div 7 = 32 \cdots 3$　　④ $\boxed{} \div 9 = 51 \cdots 3$

⑤ $\boxed{} \div 7 = 22 \cdots 3$　　⑥ $\boxed{} \div 5 = 40 \cdots 3$

⑦ $\boxed{} \div 9 = 11 \cdots 3$　　⑧ $\boxed{} \div 2 = 97 \cdots 1$

⑨ $\boxed{} \div 6 = 23 \cdots 5$　　⑩ $\boxed{} \div 8 = 14 \cdots 6$

⑪ $\boxed{} \div 9 = 19 \cdots 8$　　⑫ $\boxed{} \div 3 = 72 \cdots 2$

⑬ $\boxed{} \div 6 = 55 \cdots 3$　　⑭ $\boxed{} \div 8 = 17 \cdots 1$

⑮ $\boxed{} \div 5 = 48 \cdots 2$　　⑯ $\boxed{} \div 9 = 23 \cdots 7$

★을 나누는 나눗셈의 검산식을 세우고, ★의 값을 구하세요.

★ ÷ 6 = 15 ··· 4

검산: ★ = 6 × 15 + 4 = [94]

① ★ ÷ 8 = 13 ··· 6

검산: _____

② ★ ÷ 9 = 11 ··· 5

검산: _____

③ ★ ÷ 8 = 27 ··· 3

검산: _____

④ ★ ÷ 4 = 33 ··· 1

검산: _____

⑤ ★ ÷ 5 = 19 ··· 2

검산: _____

⑥ ★ ÷ 7 = 28 ··· 3

검산: _____

⑦ ★ ÷ 6 = 31 ··· 4

검산: _____

연산 퍼즐

💡 빈 곳에 알맞은 수를 써넣으세요.

÷ 6

$55 \div 6 = 9 \cdots 1$

55	9	…	1
	13	…	3
	15	…	5

÷ 4

	13	…	2
	9	…	2
	23	…	3

÷ 7

	17	…	4
	14	…	4
	11	…	5

÷ 5

	15	…	4
	21	…	4
	28	…	3

😮 같은 색의 칸에 있는 수끼리 계산할 때, 빈 곳에 알맞은 수를 써넣으세요.

①

	55
	42

÷

7	5
4	3

=

12	
19	14

□ ÷ 3 = 14
→ 3 × 14 = 42

②

	315

÷

9	7
6	3

=

17	
19	52

③

456	

÷

8	9
6	4

=

	15
32	47

④

	222

÷

9	7
6	3

=

34	12
41	

같은 색의 칸에 있는 수끼리 계산할 때, 빈 곳에 알맞은 수를 써넣으세요.

①

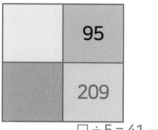

	95
	209

$\square \div 5 = 41 \cdots 4$
÷ → $5 \times 41 + 4 = 209$

②

147	

÷

③

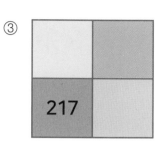

217	

÷

6	4
4	5

=

9	8
7	4

=

5	3
8	2

=

12	
25	41

⋮

	26
31	44

⋮

37	40
	97

⋮

5	
3	4

	5
6	1

4	2
	1

글과 그림을 보고 □가 있는 나눗셈식을 세우고 답을 구하세요.

선생님이 가지고 있던 사탕을 학생들에게 똑같이 나누어 주려고 합니다.

★ 가지고 있는 사탕을 3명에게 똑같이 나누어 주었더니 각각 16개씩의 사탕을 받았습니다. 나누어 준 사탕은 모두 몇 개일까요?

식 : ___□ ÷ 3 = 16___　　　　　　　답 : ___48___개

① 다음 날 사탕 몇 개를 8명에게 똑같이 나누어 주었더니 각각 21개의 사탕을 받았습니다. 나누어 준 사탕은 모두 몇 개일까요?

식 : _____　　　답 : _____개

😯 문제를 읽고 □가 있는 나눗셈식을 세우고 답을 구하세요.

① 어떤 수를 9로 나누었더니 몫이 45입니다. 어떤 수는 몇인가요?

식 : _____ 답 : _____

② 민영이는 아버지가 사 주신 동화책을 하루에 7쪽씩 읽었습니다. 모두 17일 동안 읽었다면 동화책은 모두 몇 쪽인가요?

식 : _____ 답 : _____쪽

③ 구슬 몇 개를 주머니 한 개에 7개씩 44개의 주머니에 나누어 담았더니 구슬 4개가 남았습니다. 구슬은 모두 몇 개인가요?

식 : _____ 답 : _____개

④ 연필 몇 자루를 한 사람당 6자루씩 모두 23명에게 나누어 주었더니 연필 4자루가 남았습니다. 연필은 모두 몇 자루인가요?

식 : _____ 답 : _____자루

😊 문제를 읽고 □가 있는 나눗셈식을 세우고 답을 구하세요.

① 어떤 수를 8로 나누었더니 몫이 31이고 나머지가 7입니다. 어떤 수는 몇인가요?

식 : _____ 답 : _____

② 창고에 있는 바퀴로 세발자전거를 37대 만들었더니 바퀴가 2개 남았습니다. 창고에 있는 바퀴는 모두 몇 개인가요?

식 : _____ 답 : _____개

③ 귤 몇 개를 한 상자에 5개씩 17개의 상자에 나누어 담았더니 귤 2개가 남았습니다. 귤은 모두 몇 개인가요?

식 : _____ 답 : _____개

④ 지우개 몇 개를 한 사람당 7개씩 모두 31명에게 나누어 주었더니 지우개 1개가 남았습니다. 지우개는 모두 몇 개인가요?

식 : _____ 답 : _____개

• **5**주차 •

(몇)÷□

나누는 수를 모르는 나눗셈에서 나누는 수를 구하는 것을 공부합니다. 1일차에는 □가 있는 나눗셈을 □가 없는 나눗셈으로 바꾸는 연습을 하고, 2일차에는 나누어떨어지는 나눗셈에서 □에 알맞은 수를 구하고, 3일차에는 나머지가 있는 나눗셈에서 □에 알맞은 수를 구합니다.

□가 있는 나눗셈식을 곱셈식으로 바꾸고, 곱셈식을 □가 없는 나눗셈식으로 바꾸세요. 그다음 □에 알맞은 수를 써넣으세요.

$78 ÷ \boxed{13} = 6$ ➡ $\boxed{13} × 6 = 78$ ➡ $78 ÷ 6 = 13$

① $135 ÷ \boxed{} = 5$ ➡ $\boxed{} × \underline{}$ ➡ _____

② $224 ÷ \boxed{} = 8$ ➡ $\boxed{} × \underline{}$ ➡ _____

③ $117 ÷ \boxed{} = 9$ ➡ $\boxed{} × \underline{}$ ➡ _____

④ $112 ÷ \boxed{} = 2$ ➡ $\boxed{} × \underline{}$ ➡ _____

⑤ $96 ÷ \boxed{} = 3$ ➡ $\boxed{} × \underline{}$ ➡ _____

⑥ $119 ÷ \boxed{} = 7$ ➡ $\boxed{} × \underline{}$ ➡ _____

⑦ $200 ÷ \boxed{} = 4$ ➡ $\boxed{} × \underline{}$ ➡ _____

⑧ $540 ÷ \boxed{} = 6$ ➡ $\boxed{} × \underline{}$ ➡ _____

□가 있는 나눗셈식을 곱셈과 덧셈이 들어간 식으로 바꾸고, 그 식을 다시 □가 없는 나눗셈식으로 바꾸세요. 그다음 □에 알맞은 수를 써넣으세요.

77 ÷ [12] = 6 ⋯ 5 ➡ [12] × 6 + 5 = 77 ➡ 72 ÷ 6 = 12

① 137 ÷ [ ] = 7 ⋯ 4 ➡ [ ] ×

② 105 ÷ [ ] = 9 ⋯ 6 ➡ [ ] ×

③ 119 ÷ [ ] = 5 ⋯ 4 ➡ [ ] ×

④ 137 ÷ [ ] = 8 ⋯ 1 ➡ [ ] ×

⑤ 107 ÷ [ ] = 3 ⋯ 2 ➡ [ ] ×

⑥ 391 ÷ [ ] = 2 ⋯ 1 ➡ [ ] ×

⑦ 71 ÷ [ ] = 4 ⋯ 3 ➡ [ ] ×

⑧ 752 ÷ [ ] = 5 ⋯ 2 ➡ [ ] ×

관계있는 식을 선으로 이어 보고 □에 알맞은 수를 써넣으세요.

104 ÷ □ = 7 … 6

$\square \times 7 + 6 = 104$
$\rightarrow \square \times 7 = 104 - 6 = 98$

98 ÷ 7 = □

150 ÷ □ = 6

51 ÷ 3 = □

246 ÷ □ = 9 … 3

150 ÷ 6 = □

51 ÷ □ = 3

306 ÷ 2 = □

95 ÷ □ = 4 … 3

92 ÷ 4 = □

306 ÷ □ = 2

243 ÷ 9 = □

☝ □에 알맞은 수를 써넣으세요.

99 ÷ ■ = 9 → ■ × 9 = 99

➡ 99 ÷ 9 = ■

■ = [11]

① 87 ÷ ■ = 3

➡ 87 ÷ 3 = ■

■ = [ ]

② 120 ÷ ■ = 6

➡ 120 ÷ 6 = ■

■ = [ ]

③ 231 ÷ ■ = 7

➡ 231 ÷ 7 = ■

■ = [ ]

④ 384 ÷ ■ = 2

➡ 384 ÷ 2 = ■

■ = [ ]

⑤ 92 ÷ ■ = 4

➡ 92 ÷ 4 = ■

■ = [ ]

⑥ 272 ÷ ■ = 8

➡ 272 ÷ 8 = ■

■ = [ ]

 관계있는 식을 선으로 이어 보고 □에 알맞은 수를 써넣으세요.

88 ÷ □ = 8   •   •   □ × 9 = 126

91 ÷ □ = 7   •   •   □ × 7 = 91

95 ÷ □ = 5   •   •   □ × 6 = 126

126 ÷ □ = 6   •   •   □ × 8 = 88

96 ÷ □ = 3   •   •   □ × 3 = 96

126 ÷ □ = 9   •   •   □ × 5 = 95

□에 알맞은 수를 써넣으세요.

① $112 \div \boxed{} = 7$

② $26 \div \boxed{} = 2$

③ $39 \div \boxed{} = 3$

④ $84 \div \boxed{} = 7$

⑤ $51 \div \boxed{} = 3$

⑥ $80 \div \boxed{} = 5$

⑦ $112 \div \boxed{} = 8$

⑧ $91 \div \boxed{} = 7$

⑨ $96 \div \boxed{} = 8$

⑩ $60 \div \boxed{} = 5$

⑪ $68 \div \boxed{} = 4$

⑫ $33 \div \boxed{} = 3$

⑬ $40 \div \boxed{} = 4$

⑭ $48 \div \boxed{} = 4$

⑮ $128 \div \boxed{} = 8$

⑯ $136 \div \boxed{} = 8$

🐌 □에 알맞은 수를 써넣으세요.

$113 \div \blacksquare = 6 \cdots 5$ ⟶ $\blacksquare \times 6 + 5 = 113$

➡ $108 \div 6 = \blacksquare$ ⟵ $\blacksquare \times 6 = 108$

$\blacksquare =$ 18

① $102 \div \blacksquare = 8 \cdots 6$

➡ ☐ $\div 8 = \blacksquare$

$\blacksquare =$ ☐

② $75 \div \blacksquare = 7 \cdots 5$

➡ ☐ $\div 7 = \blacksquare$

$\blacksquare =$ ☐

③ $70 \div \blacksquare = 6 \cdots 4$

➡ ☐ $\div 6 = \blacksquare$

$\blacksquare =$ ☐

④ $180 \div \blacksquare = 7 \cdots 5$

➡ ☐ $\div 7 = \blacksquare$

$\blacksquare =$ ☐

⑤ $118 \div \blacksquare = 5 \cdots 3$

➡ ☐ $\div 5 = \blacksquare$

$\blacksquare =$ ☐

⑥ $55 \div \blacksquare = 4 \cdots 3$

➡ ☐ $\div 4 = \blacksquare$

$\blacksquare =$ ☐

관계있는 식을 선으로 이어 보고 ☐에 알맞은 수를 써넣으세요.

$138 ÷ \boxed{} = 7 \cdots 5$ ▶ •

• $\boxed{} × 8 + 1 = 129$

$130 ÷ \boxed{} = 6 \cdots 4$ ▶ •

• $\boxed{} × 7 + 5 = 138$

$119 ÷ \boxed{} = 9 \cdots 2$ ▶ •

• $\boxed{} × 9 + 2 = 119$

$129 ÷ \boxed{} = 8 \cdots 1$ ▶ •

• $\boxed{} × 2 + 1 = 65$

$65 ÷ \boxed{} = 2 \cdots 1$ ▶ •

• $\boxed{} × 4 + 3 = 99$

$99 ÷ \boxed{} = 4 \cdots 3$ ▶ •

• $\boxed{} × 6 + 4 = 130$

□에 알맞은 수를 써넣으세요.

① $99 \div \boxed{} = 4 \cdots 3$

② $142 \div \boxed{} = 8 \cdots 6$

③ $222 \div \boxed{} = 8 \cdots 6$

④ $54 \div \boxed{} = 5 \cdots 4$

⑤ $202 \div \boxed{} = 7 \cdots 6$

⑥ $66 \div \boxed{} = 4 \cdots 2$

⑦ $150 \div \boxed{} = 8 \cdots 6$

⑧ $103 \div \boxed{} = 5 \cdots 3$

⑨ $62 \div \boxed{} = 4 \cdots 2$

⑩ $70 \div \boxed{} = 6 \cdots 4$

⑪ $139 \div \boxed{} = 7 \cdots 6$

⑫ $94 \div \boxed{} = 6 \cdots 4$

⑬ $175 \div \boxed{} = 8 \cdots 7$

⑭ $114 \div \boxed{} = 4 \cdots 2$

⑮ $78 \div \boxed{} = 5 \cdots 3$

⑯ $249 \div \boxed{} = 8 \cdots 1$

3장의 숫자 카드를 한 번씩만 사용하여 나눗셈식을 완성하세요.

47 ÷ [8] = [5] … [7]

[8] [7] [5]

5는 나누는 수가 될 수 없으므로
나누는 수가 8일 때와 7일 때를 각각 계산해 봅니다.

나누는 수가 8일때 47 ÷ 8 = 5 … 7 (○)
나누는 수가 7일때 47 ÷ 7 = 6 … 5 (X)

① 41 ÷ [ ] = [ ] … [ ]

[5] [4] [9]

② 37 ÷ [ ] = [ ] … [ ]

[4] [8] [5]

③ 61 ÷ [ ] = [ ] … [ ]

[9] [7] [6]

④ 46 ÷ [ ] = [ ] … [ ]

[5] [6] [8]

⑤ 32 ÷ [ ] = [ ] … [ ]

[5] [9] [3]

⑥ 25 ÷ [ ] = [ ] … [ ]

[7] [3] [4]

🐦 같은 색의 칸에 있는 수끼리 계산할 때, 빈 곳에 알맞은 수를 써넣으세요.

①

98	66
153	64

÷

	16

=

7	6
9	4

$64 \div \square = 4$
$\rightarrow 64 \div 4 = 16$

②

115	88
45	68

÷

=

5	8
3	4

③

102	171
75	206

÷

=

6	9
5	2

④

112	81
120	100

÷

=

7	3
8	4

같은 색의 칸에 있는 수끼리 계산할 때, 빈 곳에 알맞은 수를 써넣으세요.

①
| 107 | 131 |
| 141 | 169 |

169 ÷ □ = 9 ⋯ 7
·I· → 162 ÷ 9 = 18

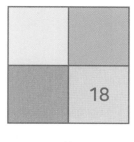

=

| 6 | 8 |
| 7 | 9 |

⋮

| 5 | 3 |
| 1 | 7 |

②
| 98 | 42 |
| 105 | 409 |

·I·

=

| 3 | 4 |
| 9 | 2 |

⋮

| 2 | 2 |
| 6 | 1 |

③
| 163 | 126 |
| 143 | 212 |

·I·

=

| 4 | 5 |
| 8 | 3 |

⋮

| 3 | 1 |
| 7 | 2 |

글과 그림을 보고 □가 있는 나눗셈식을 세우고 답을 구하세요.

지우는 책을 매일 똑같이 나누어 읽으려고 합니다.

★ 98쪽짜리 동화책을 일주일 동안 모두 읽으려면 하루에 몇 쪽씩 읽어야 하나요?

식 : _98 ÷ □ = 7_____ 답 : ___14___ 쪽

① 108쪽짜리 위인전을 9일 동안 모두 읽으려면 하루에 몇 쪽씩 읽어야 하나요?

식 : _____ 답 : _____쪽

문제를 읽고 □가 있는 나눗셈식을 세우고 답을 구하세요.

① 105를 어떤 수로 나누었더니 몫이 5입니다. 어떤 수를 구하세요.

식 : _____ 답 : _____

② 철사 144 cm를 남는 것이 없게 몇 명이 똑같이 나누어 가지려고 합니다. 한 사람이 가지게 되는 철사의 길이가 8 cm라면 몇 명이 철사를 나누어 가졌나요?

식 : _____ 답 : _____명

③ 방울토마토 77개를 남는 것이 없게 몇 개의 봉지에 똑같이 나누어 담으려고 합니다. 한 봉지에 7개의 방울토마토를 담으려면 봉지가 몇 개 필요한가요?

식 : _____ 답 : _____개

④ 색종이 162장을 남는 것이 없게 몇 명이 똑같이 나누어 가지려고 합니다. 한 사람이 가지게 되는 색종이가 9장이라면 몇 명이 색종이를 나누어 가졌나요?

식 : _____ 답 : _____명

😊 문제를 읽고 □가 있는 나눗셈식을 세우고 답을 구하세요.

① 181을 어떤 수로 나누었더니 몫이 5이고 나머지가 6입니다. 어떤 수를 구하세요.

식 : _____ 답 : _____

② 초콜릿 60개를 친구들에게 똑같은 개수로 나누어 주었더니 7명에게 주고 4개가 남았습니다. 초콜릿을 한 사람에게 몇 개씩 나누어 주었나요?

식 : _____ 답 : _____개

③ 지우개 111개를 몇 사람에게 똑같이 나누어 주었더니 각각 7개씩 지우개를 받고 6개가 남았습니다. 지우개를 몇 명에게 나누어 주었나요?

식 : _____ 답 : _____명

④ 세정이가 수학 문제 150개를 며칠 동안 매일 9개씩 풀었더니 마지막 날에 6개의 문제가 남았습니다. 세정이가 수학 문제를 푼 기간은 며칠일까요?

식 : _____ 답 : _____일

· 6주차 ·
도전! 계산왕

□ 구하기

□에 알맞은 수를 써넣으세요.

① $\boxed{} \times 6 = 90$

② $\boxed{} \times 5 = 190$

③ $378 \div \boxed{} = 3$

④ $\boxed{} \div 7 = 76$

⑤ $\boxed{} \times 2 = 44$

⑥ $\boxed{} \div 9 = 58$

⑦ $8 \times \boxed{} = 248$

⑧ $72 \div \boxed{} = 2$

⑨ $4 \times \boxed{} = 96$

⑩ $97 \div \boxed{} = 7 \cdots 6$

⑪ $\boxed{} \div 8 = 16 \cdots 5$

⑫ $\boxed{} \div 4 = 52 \cdots 1$

⑬ $\boxed{} \div 9 = 31 \cdots 7$

⑭ $123 \div \boxed{} = 5 \cdots 3$

⑮ $303 \div \boxed{} = 7 \cdots 2$

□ 구하기

🔎 □에 알맞은 수를 써넣으세요.

① $\boxed{} \div 2 = 17$

② $\boxed{} \times 3 = 654$

③ $84 \div \boxed{} = 7$

④ $\boxed{} \times 5 = 305$

⑤ $\boxed{} \div 6 = 14$

⑥ $9 \times \boxed{} = 99$

⑦ $\boxed{} \div 4 = 216$

⑧ $3 \times \boxed{} = 87$

⑨ $\boxed{} \times 8 = 168$

⑩ $67 \div \boxed{} = 4 \cdots 3$

⑪ $407 \div \boxed{} = 8 \cdots 7$

⑫ $\boxed{} \div 5 = 23 \cdots 4$

⑬ $99 \div \boxed{} = 7 \cdots 1$

⑭ $\boxed{} \div 6 = 29 \cdots 5$

⑮ $\boxed{} \div 5 = 31 \cdots 2$

2일 ❶

□ 구하기

🐰 □에 알맞은 수를 써넣으세요.

① $\boxed{} \div 4 = 72$

② $64 \div \boxed{} = 4$

③ $5 \times \boxed{} = 490$

④ $7 \times \boxed{} = 77$

⑤ $372 \div \boxed{} = 6$

⑥ $\boxed{} \times 3 = 675$

⑦ $\boxed{} \times 2 = 58$

⑧ $8 \times \boxed{} = 104$

⑨ $459 \div \boxed{} = 9$

⑩ $\boxed{} \div 4 = 83 \cdots 2$

⑪ $\boxed{} \div 2 = 25 \cdots 1$

⑫ $432 \div \boxed{} = 7 \cdots 5$

⑬ $\boxed{} \div 5 = 29 \cdots 2$

⑭ $\boxed{} \div 8 = 11 \cdots 3$

⑮ $96 \div \boxed{} = 5 \cdots 1$

2일 ❷

□ 구하기

💡 □에 알맞은 수를 써넣으세요.

① $\boxed{} \times 3 = 66$

② $292 \div \boxed{} = 4$

③ $7 \times \boxed{} = 91$

④ $\boxed{} \div 6 = 101$

⑤ $5 \times \boxed{} = 430$

⑥ $\boxed{} \div 8 = 24$

⑦ $\boxed{} \times 2 = 78$

⑧ $4 \times \boxed{} = 496$

⑨ $567 \div \boxed{} = 9$

⑩ $\boxed{} \div 4 = 15 \cdots 2$

⑪ $\boxed{} \div 6 = 54 \cdots 5$

⑫ $\boxed{} \div 4 = 39 \cdots 3$

⑬ $70 \div \boxed{} = 3 \cdots 1$

⑭ $\boxed{} \div 8 = 12 \cdots 7$

⑮ $205 \div \boxed{} = 2 \cdots 1$

□에 알맞은 수를 써넣으세요.

① 488 ÷ ☐ = 8

② ☐ ÷ 2 = 56

③ 3 × ☐ = 54

④ 6 × ☐ = 96

⑤ ☐ × 4 = 60

⑥ ☐ × 5 = 600

⑦ ☐ ÷ 9 = 71

⑧ 8 × ☐ = 432

⑨ 756 ÷ ☐ = 7

⑩ ☐ ÷ 7 = 33 … 4

⑪ 37 ÷ ☐ = 2 … 1

⑫ 607 ÷ ☐ = 5 … 2

⑬ 67 ÷ ☐ = 4 … 3

⑭ ☐ ÷ 3 = 84 … 2

⑮ ☐ ÷ 9 = 11 … 7

□ 구하기

□에 알맞은 수를 써넣으세요.

① $\boxed{} \times 2 = 98$

② $\boxed{} \times 3 = 309$

③ $4 \times \boxed{} = 68$

④ $5 \times \boxed{} = 75$

⑤ $78 \div \boxed{} = 6$

⑥ $\boxed{} \div 9 = 17$

⑦ $\boxed{} \div 8 = 82$

⑧ $90 \div \boxed{} = 9$

⑨ $\boxed{} \div 6 = 25$

⑩ $68 \div \boxed{} = 5 \cdots 3$

⑪ $707 \div \boxed{} = 3 \cdots 2$

⑫ $\boxed{} \div 7 = 13 \cdots 4$

⑬ $100 \div \boxed{} = 9 \cdots 1$

⑭ $79 \div \boxed{} = 4 \cdots 3$

⑮ $\boxed{} \div 8 = 35 \cdots 6$

□ 구하기

🐛 □에 알맞은 수를 써넣으세요.

① $\boxed{} \div 4 = 244$

② $735 \div \boxed{} = 7$

③ $6 \times \boxed{} = 336$

④ $2 \times \boxed{} = 308$

⑤ $88 \div \boxed{} = 8$

⑥ $\boxed{} \times 7 = 154$

⑦ $\boxed{} \times 3 = 57$

⑧ $5 \times \boxed{} = 60$

⑨ $540 \div \boxed{} = 9$

⑩ $\boxed{} \div 4 = 17 \cdots 2$

⑪ $\boxed{} \div 5 = 34 \cdots 1$

⑫ $93 \div \boxed{} = 8 \cdots 5$

⑬ $221 \div \boxed{} = 3 \cdots 2$

⑭ $\boxed{} \div 6 = 17 \cdots 4$

⑮ $99 \div \boxed{} = 2 \cdots 1$

□ 구하기

□에 알맞은 수를 써넣으세요.

① $255 \div \boxed{} = 5$

② $\boxed{} \div 4 = 13$

③ $6 \times \boxed{} = 78$

④ $\boxed{} \times 4 = 48$

⑤ $\boxed{} \div 9 = 27$

⑥ $\boxed{} \div 6 = 26$

⑦ $8 \times \boxed{} = 184$

⑧ $36 \div \boxed{} = 2$

⑨ $\boxed{} \div 7 = 14$

⑩ $118 \div \boxed{} = 7 \cdots 6$

⑪ $63 \div \boxed{} = 2 \cdots 1$

⑫ $95 \div \boxed{} = 3 \cdots 2$

⑬ $200 \div \boxed{} = 9 \cdots 2$

⑭ $\boxed{} \div 7 = 29 \cdots 4$

⑮ $\boxed{} \div 5 = 10 \cdots 3$

□ 구하기

 □에 알맞은 수를 써넣으세요.

① $\boxed{} \div 5 = 113$

② $747 \div \boxed{} = 3$

③ $7 \times \boxed{} = 70$

④ $2 \times \boxed{} = 436$

⑤ $\boxed{} \times 4 = 56$

⑥ $840 \div \boxed{} = 8$

⑦ $\boxed{} \times 3 = 66$

⑧ $9 \times \boxed{} = 108$

⑨ $\boxed{} \div 6 = 66$

⑩ $\boxed{} \div 4 = 19 \cdots 3$

⑪ $\boxed{} \div 2 = 66 \cdots 1$

⑫ $124 \div \boxed{} = 7 \cdots 5$

⑬ $98 \div \boxed{} = 8 \cdots 2$

⑭ $\boxed{} \div 9 = 18 \cdots 4$

⑮ $71 \div \boxed{} = 7 \cdots 1$

□ 구하기

💡 □에 알맞은 수를 써넣으세요.

① $\boxed{} \times 4 = 96$

② $2 \times \boxed{} = 98$

③ $\boxed{} \div 8 = 72$

④ $70 \div \boxed{} = 5$

⑤ $\boxed{} \div 7 = 19$

⑥ $\boxed{} \times 3 = 57$

⑦ $492 \div \boxed{} = 6$

⑧ $8 \times \boxed{} = 96$

⑨ $\boxed{} \times 3 = 75$

⑩ $111 \div \boxed{} = 7 \cdots 6$

⑪ $92 \div \boxed{} = 5 \cdots 2$

⑫ $\boxed{} \div 6 = 34 \cdots 3$

⑬ $101 \div \boxed{} = 9 \cdots 2$

⑭ $133 \div \boxed{} = 4 \cdots 1$

⑮ $\boxed{} \div 8 = 11 \cdots 7$

우리 아이 첫 수학은
유자수 가 답이다

보드마카와
붙임 딱지로
즐겁게

내 아이에게
딱 맞는
엄마표 문제

재미있게
스스로
반복학습

방송에서 화제가 된 바로 그 교재!

생각과 자신감이 커지는 유아 자신감 수학!

방송 영상

유자수 소개 영상

실력도 탑! 재미도 탑!
사고력 수학의 으뜸!
TOP 사고력 수학

6~7세

7~8세

초1~2학년

초2~3학년

알쓸신탑 :
알아두면 쓸데있는
신비한
탑사고력 수학!

TOP사고력 3가지 Check !

직접해봐! 직접 체험하면서 할 수 있는 풍부한 활동자료

의도가 뭘까? 더욱 더 친절한 해설 예비활동 / 학부모 가이드

어려워! 어려울 때 친절한 저자 직강 QR 코드로 고고!

초등 | 수학 전문가가
만든 연산 교재

원리셈

천종현 지음

정답

3학년 5

곱셈과 나눗셈의 관계

천종현수학연구소

1주차 - 곱셈과 나눗셈의 관계

10쪽

① 3

   14

② 5

   12

11쪽

① 90   90, 6, 15
         90, 15, 6

② 76   76, 4, 19
         76, 19, 4

③ 464   464, 8, 58
          464, 58, 8

④ 288   288, 6, 48
          288, 48, 6

12쪽

① 2

② 9

13쪽

① 17   5, 17, 85
        17, 5, 85

② 14   7, 14, 98
        14, 7, 98

③ 29   4, 29, 116
        29, 4, 116

④ 17   4, 17, 68
        17, 4, 68

14쪽

①
7	8	56
2	4	8
14	32	

②
2	16	32
5	3	15
10	48	

③
4	17	68
7	2	14
28	34	

④
5	9	45
11	2	22
55	18	

15쪽

①
5	9	45
7	9	63
35	81	

②
3	7	21
8	2	16
24	14	

③
2	8	16
5	5	25
10	40	

④
13	3	39
2	9	18
26	27	

⑤
8	3	24
7	5	35
56	15	

⑥
7	5	35
3	12	36
21	60	

16쪽

① 9, 6, 54

② 5, 5, 25

③ 8, 3, 24

④ 5, 7, 35

17쪽

① 4   ② 6
   $6 \times 4 = 24$ $8 \times 6 = 48$

③ 6   ④ 3
   $5 \times 6 = 30$ $9 \times 3 = 27$

⑤ 10   ⑥ 5
   $6 \times 10 = 60$ $3 \times 5 = 15$

⑦ 7   ⑧ 7
   $7 \times 7 = 49$ $4 \times 7 = 28$

① 8

$9 \times 8 = 72$

② 5

$8 \times 5 = 40$

③ 10

$7 \times 10 = 70$

④ 11

$5 \times 11 = 55$

⑤ 6

$4 \times 6 = 24$

⑥ 12

$4 \times 12 = 48$

⑦ 2

$9 \times 2 = 18$

⑧ 6

$6 \times 6 = 36$

① 4, 9, 2, 38

② 5, 5, 4, 29

③ 6, 8, 2, 50

④ 9, 3, 4, 31

① 19, 1

$4 \times 19 + 1 = 77$

② 14, 2

$6 \times 14 + 2 = 86$

③ 25, 1

$3 \times 25 + 1 = 76$

④ 13, 4

$7 \times 13 + 4 = 95$

⑤ 12, 3

$5 \times 12 + 3 = 63$

⑥ 21, 1

$2 \times 21 + 1 = 43$

⑦ 12, 3

$8 \times 12 + 3 = 99$

⑧ 14, 2

$4 \times 14 + 2 = 58$

① 12, 3

$5 \times 12 + 3 = 63$

② 24, 1

$4 \times 24 + 1 = 97$

③ 14, 5

$6 \times 14 + 5 = 89$

④ 17, 1

$3 \times 17 + 1 = 52$

⑤ 18, 4

$5 \times 18 + 4 = 94$

⑥ 12, 2

$7 \times 12 + 2 = 86$

⑦ 18, 2

$4 \times 18 + 2 = 74$

⑧ 15, 2

$3 \times 15 + 2 = 47$

① 84, 7, 12

② 84, 12, 7

① 96, 8, 12

② 8, 12, 96 (또는 12, 8, 96)

③ 144, 9, 16

④ 9, 16, 144 (또는 16, 9, 144)

① $91 \div 7 = 13$, 13

$7 \times 13 = 91$

② $148 \div 4 = 37$, 37

$4 \times 37 = 148$

③ $279 \div 9 = 31$, 31

$9 \times 31 = 279$

④ $90 \div 6 = 15$, 15

$6 \times 15 = 90$

2주차 - 도전! 계산왕

① 42⋯1

$2 \times 42 + 1 = 85$

② 9⋯8

$9 \times 9 + 8 = 89$

③ 423⋯0

$2 \times 423 = 846$

④ 169⋯0

$5 \times 169 = 845$

⑤ 76⋯0

$9 \times 76 = 684$

⑥ 316⋯1

$3 \times 316 + 1 = 949$

① 21⋯1

$3 \times 21 + 1 = 64$

② 23⋯2

$3 \times 23 + 2 = 71$

③ 127⋯2

$5 \times 127 + 2 = 637$

④ 90⋯2

$6 \times 90 + 2 = 542$

⑤ 98⋯0

$4 \times 98 = 392$

⑥ 200⋯1

$3 \times 200 + 1 = 601$

① 19⋯1

$3 \times 19 + 1 = 58$

② 17⋯1

$5 \times 17 + 1 = 86$

③ 101⋯2

$9 \times 101 + 2 = 911$

④ 86⋯4

$7 \times 86 + 4 = 606$

⑤ 46⋯0

$3 \times 46 = 138$

⑥ 209⋯1

$3 \times 209 + 1 = 628$

29쪽

① 19…1
2×19+1=39

② 16…4
5×16+4=84

③ 139…5
7×139+5=978

④ 193…0
4×193=772

⑤ 100…4
5×100+4=504

⑥ 100…1
6×100+1=601

30쪽

① 4…5
7×4+5=33

② 6…1
5×6+1=31

③ 109…3
9×109+3=984

④ 106…1
2×106+1=213

⑤ 161…2
6×161+2=968

⑥ 131…2
5×131+2=657

31쪽

① 4…2
8×4+2=34

② 6…3
7×6+3=45

③ 96…5
9×96+5=869

④ 150…2
5×150+2=752

⑤ 100…4
7×100+4=704

⑥ 301…1
3×301+1=904

32쪽

① 17…2
3×17+2=53

② 9…2
6×9+2=56

③ 290…0
2×290=580

④ 95…0
6×95=570

⑤ 58…2
9×58+2=524

⑥ 496…1
2×496+1=993

33쪽

① 29…0
3×29=87

② 2…7
9×2+7=25

③ 95…5
7×95+5=670

④ 122…1
6×122+1=733

⑤ 195…2
3×195+2=587

⑥ 48…6
7×48+6=342

34쪽

① 5…5
7×5+5=40

② 4…4
8×4+4=36

③ 465…1
2×465+1=931

④ 159…2
3×159+2=479

⑤ 30…0
4×30=120

⑥ 35…2
9×35+2=317

35쪽

① 9…2
9×9+2=83

② 38…0
2×38=76

③ 137…0
6×137=822

④ 133…2
4×133+2=534

⑤ 183…0
2×183=366

⑥ 27…3
9×27+3=246

3주차 - □×(몇)

38쪽

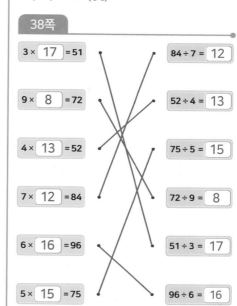

3 × 17 = 51

9 × 8 = 72

4 × 13 = 52

7 × 12 = 84

6 × 16 = 96

5 × 15 = 75

84 ÷ 7 = 12

52 ÷ 4 = 13

75 ÷ 5 = 15

72 ÷ 9 = 8

51 ÷ 3 = 17

96 ÷ 6 = 16

① 9

54÷6=9

② 26
78÷3=26

③ 63
126÷2=63

④ 25
125÷5=25

⑤ 18
72÷4=18

⑥ 12
108÷9=12

⑦ 15
120÷8=15

⑧ 20
140÷7=20

⑨ 14
84÷6=14

① 54
108÷2=54

② 19
95÷5=19

③ 21
126÷6=21

④ 16
128÷8=16

⑤ 48
192÷4=48

⑥ 26
78÷3=26

⑦ 17
153÷9=17

⑧ 40
320÷8=40

⑨ 105
525÷5=105

① 5

② 17
③ 14

④ 16
⑤ 14

⑥ 76
⑦ 122

① 8
② 6

③ 10
④ 21

⑤ 18
⑥ 11

⑦ 21
⑧ 15

⑨ 12
⑩ 18

⑪ 22
⑫ 56

⑬ 137
⑭ 293

⑮ 177
⑯ 75

① 8
13

② 4
64

③ 9
13

④ 31
155

⑤ 15
28

⑥ 12
96

⑦ 12
53

⑧ 32
288

① 1, 2, 7
② 1, 0, 4

③ 1, 5, 2
④ 1, 2, 7

⑤ 1, 1, 9
⑥ 4, 7, 8

⑦ 1, 0, 7
⑧ 1, 2, 3

① 1, 6
② 7, 4

③ 1, 5
④ 2, 9

⑤ 1, 7
⑥ 1, 6

⑦ 1, 5
⑧ 1, 3

① 3
② 1, 3, 7

③ 2, 2
④ 3, 2, 3

⑤ 1, 7, 2
⑥ 2, 3

⑦ 1, 2
⑧ 1, 4, 3

| 36 ☆ × 3 = 108 | 5 × ☆ = 175   35 |
| 37 4 × ☆ = 148 | ☆ × 8 = 304   38 |

| 45 ☆ × 3 = 135 | ☆ × 8 = 352   44 |
| 47 4 × ☆ = 188 | 9 × ☆ = 378   42 |

| 96 ☆ × 5 = 480 | 4 × ☆ = 376   94 |
| 92 ☆ × 7 = 644 | 8 × ☆ = 760   95 |

| 24 6 × ☆ = 144 | ☆ × 7 = 161   23 |
| 22 8 × ☆ = 176 | ☆ × 8 = 200   25 |

① 57
② 74

③ 101
④ 173

⑤ 84
⑥ 106

⑦ 216
⑧ 126

⑨ 94
⑩ 94

① □×5=215, 43

② □×5=325, 65

식을 세우는 방법은 여러 가지입니다.

① □×4=288, 72

② □×5=770, 154

③ □×6=84, 14

④ □×7=98, 14

식을 세우는 방법은 여러 가지입니다.

① 8×□=128, 16

② 9×□=198, 22

③ 4×□=500, 125

④ 4×□=312, 78

식을 세우는 방법은 여러 가지입니다.

4주차 - □÷(몇)

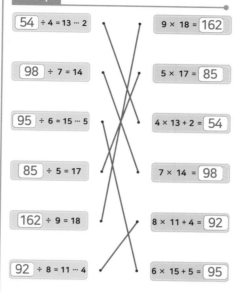

$\boxed{54} \div 4 = 13 \cdots 2$ $9 \times 18 = \boxed{162}$

$\boxed{98} \div 7 = 14$ $5 \times 17 = \boxed{85}$

$\boxed{95} \div 6 = 15 \cdots 5$ $4 \times 13 + 2 = \boxed{54}$

$\boxed{85} \div 5 = 17$ $7 \times 14 = \boxed{98}$

$\boxed{162} \div 9 = 18$ $8 \times 11 + 4 = \boxed{92}$

$\boxed{92} \div 8 = 11 \cdots 4$ $6 \times 15 + 5 = \boxed{95}$

① 235
5×47=235

② 231
4×57+3=231

③ 204
6×34=204

④ 112
9×12+4=112

⑤ 225
5×45=225

⑥ 171
2×85+1=171

⑦ 117
3×39=117

⑧ 459
8×57+3=459

4 × 19 = 76	5 × 16 + 4 = 84
2 × 47 = 94	9 × 27 + 6 = 249
8 × 17 = 136	4 × 43 + 2 = 174
3 × 55 = 165	9 × 12 + 7 = 115
3 × 43 = 129	6 × 36 + 5 = 221

① 165   ② 221

③ 94   ④ 115

⑤ 129   ⑥ 174

⑦ 136   ⑧ 249

① 136

② 39   ③ 68

④ 98   ⑤ 96

⑥ 112   ⑦ 168

① 185   ② 153

③ 176   ④ 637

⑤ 42   ⑥ 180

⑦ 115   ⑧ 184

⑨ 190   ⑩ 222

⑪ 224   ⑫ 175

⑬ 188   ⑭ 88

⑮ 240   ⑯ 207

① 72   ② 77   ③ 96

④ 78   ⑤ 72   ⑥ 279

⑦ 224   ⑧ 635   ⑨ 476

① 106

② 59 ③ 74

④ 103 ⑤ 82

⑥ 97 ⑦ 76

61쪽

① 71 ② 117

③ 227 ④ 462

⑤ 157 ⑥ 203

⑦ 102 ⑧ 195

⑨ 143 ⑩ 118

⑪ 179 ⑫ 218

⑬ 333 ⑭ 137

⑮ 242 ⑯ 214

62쪽

① 8×13+6, 110

② 9×11+5=104 ③ 8×27+3, 219

④ 4×33+1, 133 ⑤ 5×19+2, 97

⑥ 7×28+3, 199 ⑦ 6×31+4, 190

63쪽

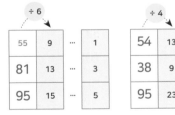

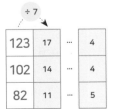 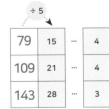

64쪽

①
| 84 | 55 | | ÷ | | 7 | 5 | | = | | 12 | 11 |
| 76 | 42 | | | | 4 | 3 | | | | 19 | 14 |

②
| 153 | 315 | | ÷ | | 9 | 7 | | = | | 17 | 45 |
| 114 | 156 | | | | 6 | 3 | | | | 19 | 52 |

③
| 456 | 135 | | ÷ | | 8 | 9 | | = | | 57 | 15 |
| 192 | 188 | | | | 6 | 4 | | | | 32 | 47 |

④
| 306 | 84 | | ÷ | | 9 | 7 | | = | | 34 | 12 |
| 246 | 222 | | | | 6 | 3 | | | | 41 | 74 |

65쪽

①
| 77 | 95 |
| 103 | 209 |
÷
| 6 | 4 |
| 4 | 5 |
=
| 12 | 23 |
| 25 | 41 |
⋮
| 5 | 3 |
| 3 | 4 |

②
| 147 | 213 |
| 223 | 177 |
÷
| 9 | 8 |
| 7 | 4 |
=
| 16 | 26 |
| 31 | 44 |
⋮
| 3 | 3 |
| 6 | 1 |

③
| 189 | 122 |
| 217 | 195 |
÷
| 5 | 3 |
| 8 | 2 |
=
| 37 | 40 |
| 27 | 97 |
⋮
| 4 | 2 |
| 1 | 1 |

66쪽

① □÷8=21, 168

67쪽

① □÷9=45, 405

② □÷7=17, 119

③ □÷7=44…4, 312

④ □÷6=23…4, 142

68쪽

① □÷8=31…7, 255

② □÷3=37…2, 113

③ □÷5=17…2, 87

④ □÷7=31…1, 218

5주차 - (몇)÷□

70쪽

① 27, 27 ×5=135 ➡ 135÷5=27

② 28, 28 ×8=224 ➡ 224÷8=28

③ 13, 13 ×9=117 ➡ 117÷9=13

④ 56, 56 ×2=112 ➡ 112÷2=56

⑤ 32, 32 ×3=96 ➡ 96÷3=32

⑥ 17, 17 ×7=119 ➡ 119÷7=17

⑦ 50, 50 ×4=200 ➡ 200÷4=50

⑧ 90, 90 ×6=540 ➡ 540÷6=90

71쪽

① 19, 19 ×7+4=137 ➡ 133÷7=19

② 11, 11 ×9+6=105 ➡ 99÷9=11

③ 23, 23 ×5+4=119 ➡ 115÷5=23

④ 17, 17 ×8+1=137 ➡ 136÷8=17

⑤ 35, 35 ×3+2=107 ➡ 105÷3=35

⑥ 195, 195 ×2+1=391 ➡ 390÷2=195

⑦ 17, 17 ×4+3=71 ➡ 68÷4=17

⑧ 150, 150 ×5+2=752 ➡ 750÷5=150

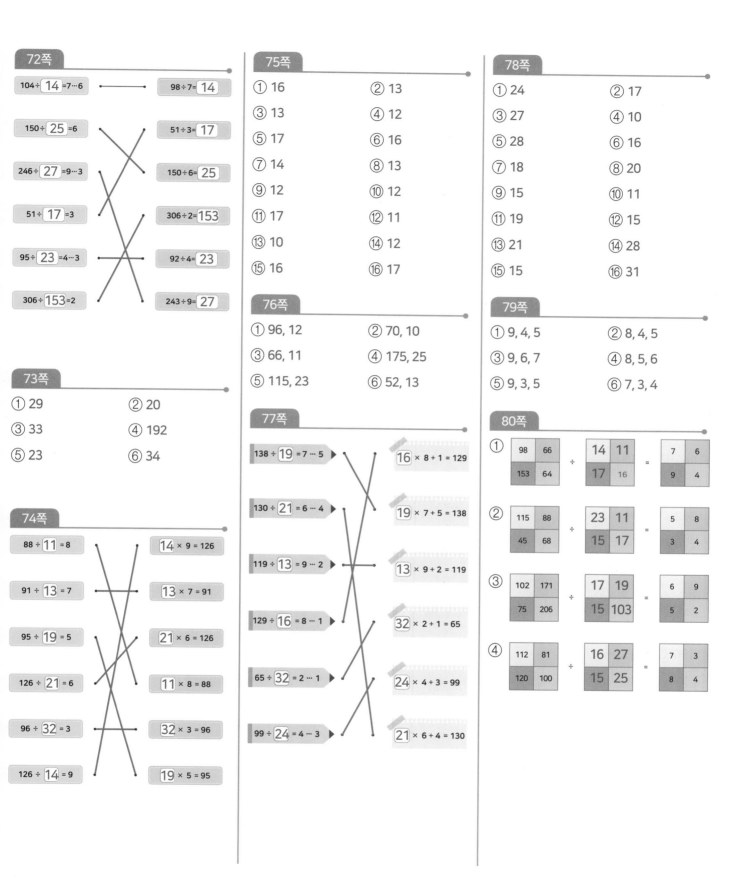

72쪽

104 ÷ [14] = 7…6 —————— 98 ÷ 7 = [14]

150 ÷ [25] = 6   51 ÷ 3 = [17]

246 ÷ [27] = 9…3   150 ÷ 6 = [25]

51 ÷ [17] = 3   306 ÷ 2 = [153]

95 ÷ [23] = 4…3   92 ÷ 4 = [23]

306 ÷ [153] = 2   243 ÷ 9 = [27]

73쪽

① 29   ② 20

③ 33   ④ 192

⑤ 23   ⑥ 34

74쪽

88 ÷ [11] = 8   [14] × 9 = 126

91 ÷ [13] = 7   [13] × 7 = 91

95 ÷ [19] = 5   [21] × 6 = 126

126 ÷ [21] = 6   [11] × 8 = 88

96 ÷ [32] = 3   [32] × 3 = 96

126 ÷ [14] = 9   [19] × 5 = 95

75쪽

① 16   ② 13

③ 13   ④ 12

⑤ 17   ⑥ 16

⑦ 14   ⑧ 13

⑨ 12   ⑩ 12

⑪ 17   ⑫ 11

⑬ 10   ⑭ 12

⑮ 16   ⑯ 17

76쪽

① 96, 12   ② 70, 10

③ 66, 11   ④ 175, 25

⑤ 115, 23   ⑥ 52, 13

77쪽

138 ÷ [19] = 7…5   [16] × 8 + 1 = 129

130 ÷ [21] = 6…4   [19] × 7 + 5 = 138

119 ÷ [13] = 9…2   [13] × 9 + 2 = 119

129 ÷ [16] = 8…1   [32] × 2 + 1 = 65

65 ÷ [32] = 2…1   [24] × 4 + 3 = 99

99 ÷ [24] = 4…3   [21] × 6 + 4 = 130

78쪽

① 24   ② 17

③ 27   ④ 10

⑤ 28   ⑥ 16

⑦ 18   ⑧ 20

⑨ 15   ⑩ 11

⑪ 19   ⑫ 15

⑬ 21   ⑭ 28

⑮ 15   ⑯ 31

79쪽

① 9, 4, 5   ② 8, 4, 5

③ 9, 6, 7   ④ 8, 5, 6

⑤ 9, 3, 5   ⑥ 7, 3, 4

80쪽

① 98 66 / 153 64 ÷ 14 11 / 17 16 = 7 6 / 9 4

② 115 88 / 45 68 ÷ 23 11 / 15 17 = 5 8 / 3 4

③ 102 171 / 75 206 ÷ 17 19 / 15 103 = 6 9 / 5 2

④ 112 81 / 120 100 ÷ 16 27 / 15 25 = 7 3 / 8 4

81쪽

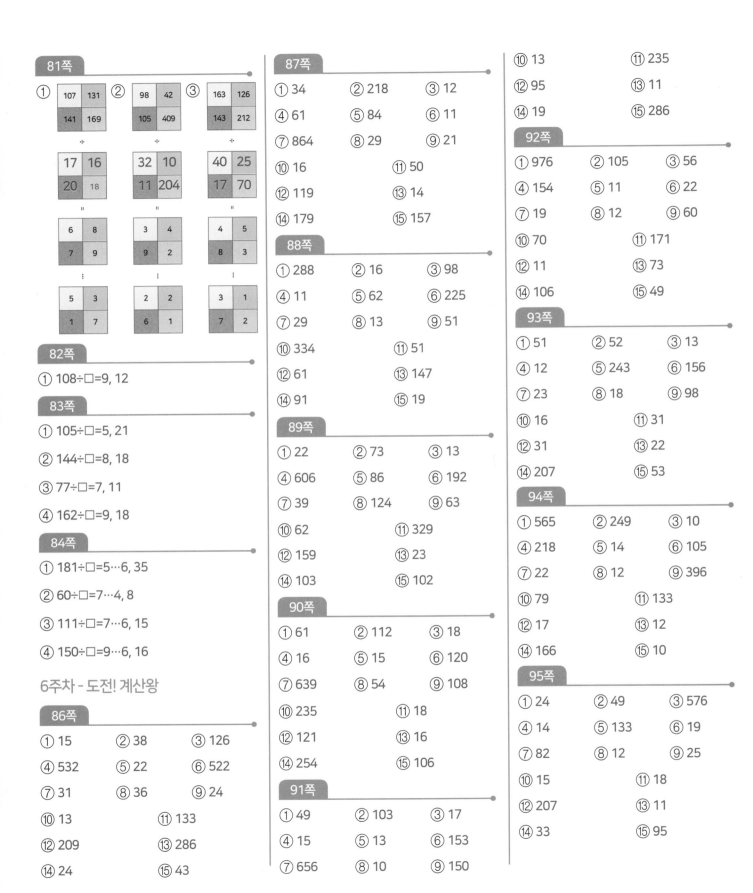

① 107 131 / 141 169
② 98 42 / 105 409
③ 163 126 / 143 212

÷

17 16 / 20 18
32 10 / 11 204
40 25 / 17 70

=

6 8 / 7 9
3 3 / 9 2
4 5 / 8 3

⋮

5 3 / 1 7
2 2 / 6 1
3 1 / 7 2

82쪽

① 108÷□=9, 12

83쪽

① 105÷□=5, 21

② 144÷□=8, 18

③ 77÷□=7, 11

④ 162÷□=9, 18

84쪽

① 181÷□=5…6, 35

② 60÷□=7…4, 8

③ 111÷□=7…6, 15

④ 150÷□=9…6, 16

6주차 - 도전! 계산왕

86쪽

① 15　　② 38　　③ 126

④ 532　　⑤ 22　　⑥ 522

⑦ 31　　⑧ 36　　⑨ 24

⑩ 13　　⑪ 133

⑫ 209　　⑬ 286

⑭ 24　　⑮ 43

87쪽

① 34　　② 218　　③ 12

④ 61　　⑤ 84　　⑥ 11

⑦ 864　　⑧ 29　　⑨ 21

⑩ 16　　⑪ 50

⑫ 119　　⑬ 14

⑭ 179　　⑮ 157

88쪽

① 288　　② 16　　③ 98

④ 11　　⑤ 62　　⑥ 225

⑦ 29　　⑧ 13　　⑨ 51

⑩ 334　　⑪ 51

⑫ 61　　⑬ 147

⑭ 91　　⑮ 19

89쪽

① 22　　② 73　　③ 13

④ 606　　⑤ 86　　⑥ 192

⑦ 39　　⑧ 124　　⑨ 63

⑩ 62　　⑪ 329

⑫ 159　　⑬ 23

⑭ 103　　⑮ 102

90쪽

① 61　　② 112　　③ 18

④ 16　　⑤ 15　　⑥ 120

⑦ 639　　⑧ 54　　⑨ 108

⑩ 235　　⑪ 18

⑫ 121　　⑬ 16

⑭ 254　　⑮ 106

91쪽

① 49　　② 103　　③ 17

④ 15　　⑤ 13　　⑥ 153

⑦ 656　　⑧ 10　　⑨ 150

⑩ 13　　⑪ 235

⑫ 95　　⑬ 11

⑭ 19　　⑮ 286

92쪽

① 976　　② 105　　③ 56

④ 154　　⑤ 11　　⑥ 22

⑦ 19　　⑧ 12　　⑨ 60

⑩ 70　　⑪ 171

⑫ 11　　⑬ 73

⑭ 106　　⑮ 49

93쪽

① 51　　② 52　　③ 13

④ 12　　⑤ 243　　⑥ 156

⑦ 23　　⑧ 18　　⑨ 98

⑩ 16　　⑪ 31

⑫ 31　　⑬ 22

⑭ 207　　⑮ 53

94쪽

① 565　　② 249　　③ 10

④ 218　　⑤ 14　　⑥ 105

⑦ 22　　⑧ 12　　⑨ 396

⑩ 79　　⑪ 133

⑫ 17　　⑬ 12

⑭ 166　　⑮ 10

95쪽

① 24　　② 49　　③ 576

④ 14　　⑤ 133　　⑥ 19

⑦ 82　　⑧ 12　　⑨ 25

⑩ 15　　⑪ 18

⑫ 207　　⑬ 11

⑭ 33　　⑮ 95

초등 원리셈 3학년 총괄 테스트 **이름** **점수**

5권 곱셈과 나눗셈의 관계

총괄 테스트

01 곱셈식을 계산하고 나눗셈식을 2개씩 세워 보세요

$16 \times 3 = 48$
$48 \div 3 = 16$
$48 \div 16 = 3$

02 나눗셈식을 계산하고 곱셈식을 2개씩 세워 보세요

$56 \div 4 = 14$
$14 \times 4 = 56$
$4 \times 14 = 56$

03 나눗셈을 계산하고 검산식을 세워 보세요

① $63 \div 7 = 9$ 검산 $7 \times 9 = 63$
② $24 \div 4 = 6$ 검산 $4 \times 6 = 24$

04 나눗셈을 계산하고 검산을 해 보세요

① $98 \div 6 = 16 \cdots 2$ 검산 $6 \times 16 + 2 = 98$
② $87 \div 5 = 17 \cdots 2$ 검산 $5 \times 17 + 2 = 87$

05 나눗셈을 계산하고 검산을 해 보세요

① $3\overline{)89} = 2\,9 \cdots 2$ 검산 $3 \times 29 + 2 = 89$
② $4\overline{)75} = 1\,8 \cdots 3$ 검산 $4 \times 18 + 3 = 75$

06 빈칸에 알맞은 수를 써넣으세요

① $2 \times ▲ = 530$
$530 \div 2 = ▲$
$▲ = 265$

② $8 \times ▲ = 752$
$752 \div 8 = ▲$
$▲ = 94$

07 빈칸에 알맞은 수를 써넣으세요

① $14 \times 5 = 70$
② $121 \times 8 = 968$
③ $92 \times 6 = 552$

08 ◎에 알맞은 수를 써넣으세요

①
$1\ 2\ 5$
$\times\quad 7$
$8\ 7\ 5$

②
$2\ 3\ 9$
$\times\quad 4$
$9\ 5\ 6$

09 빈칸에 들어갈 수 있는 수 중 가장 큰 자연수를 써넣으세요

① $95 \times 2 < 192$
② $149 \times 5 < 750$
③ $134 \times 3 < 405$

10 같은 개수의 배가 들어 있는 상자 6개가 있습니다. 배가 모두 456개 일 때 상자 1개에 들어 있는 배는 몇 개일까요? □가 있는 곱셈식을 세우고 답을 구하세요.

시: $□ \times 6 = 456$
답: 76 개

초등 원리셈 3학년 5권 총괄 테스트

11 빈칸에 알맞은 수를 써넣으세요

① $▲ \div 6 = 18$
$6 \times 18 = ▲$
$▲ = 108$

② $▲ \div 9 = 25$
$9 \times 25 = ▲$
$▲ = 225$

16 빈칸에 알맞은 수를 써넣으세요

① $210 \div ▲ = 7$
$210 \div 7 = ▲$
$▲ = 30$

② $532 \div ▲ = 4$
$532 \div 4 = ▲$
$▲ = 133$

12 빈칸에 알맞은 수를 써넣으세요

① $320 \div 4 = 80$
② $194 \div 2 = 97$
③ $280 \div 8 = 35$

17 빈칸에 알맞은 수를 써넣으세요

① $165 \div 33 = 5$
② $128 \div 64 = 2$
③ $78 \div 26 = 3$

13 빈칸에 알맞은 수를 써넣으세요

① $■ \div 9 = 23 \cdots 4$
$9 \times 23 + 4 = ■$
$■ = 211$

② $■ \div 5 = 19 \cdots 3$
$5 \times 19 + 3 = ■$
$■ = 98$

18 빈칸에 알맞은 수를 써넣으세요

① $99 \div ■ = 6 \cdots 3$
$■ = 16$

② $61 \div ■ = 4 \cdots 1$
$60 \div ■ = 4$
$■ = 15$

14 빈칸에 알맞은 수를 써넣으세요

① $140 \div 3 = 46 \cdots 2$
② $196 \div 6 = 32 \cdots 4$
③ $157 \div 7 = 22 \cdots 3$

19 빈칸에 알맞은 수를 써넣으세요

① $90 \div 14 = 6 \cdots 6$
② $123 \div 15 = 8 \cdots 3$
③ $158 \div 22 = 7 \cdots 4$

15 ★의 값을 구하세요

① $★ \div 4 = 14 \cdots 2$ 58
② $★ \div 8 = 29 \cdots 7$ 239
③ $★ \div 5 = 40 \cdots 3$ 203

20 189을 어떤 수로 나누었더니 몫이 8이고 나머지가 5입니다. 어떤 수는 얼마일까요? □가 있는 나눗셈식을 세우고 답을 구하세요.

시: $189 \div □ = 8 \cdots 5$
답: 23

초등 | 수학 전문가가
만든 연산 교재
원리셈

원리
이해

다양한
계산 방법

충분한
연습

성취도
확인

그 많은 문제를 풀고도 몰랐던

초등 사고력 수학의 원리 1
초등 사고력 수학의 전략 2

- 초등 사고력 수학의 원리 1

원리는 수학의 시작

- 초등 사고력 수학의 전략 2

문제해결은 수학의 끝

✔ **진정한 수학 실력은** 원리의 이해와 문제 해결 전략에서 나온다.

✔ **수학의 시작과 끝을** 제대로 알고 수학 실력 올리자!

✔ **재미있게 읽을 수 있는** 17년 초등 사고력 수학의 노하우

천종현수학연구소의 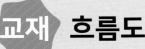 교재 흐름도

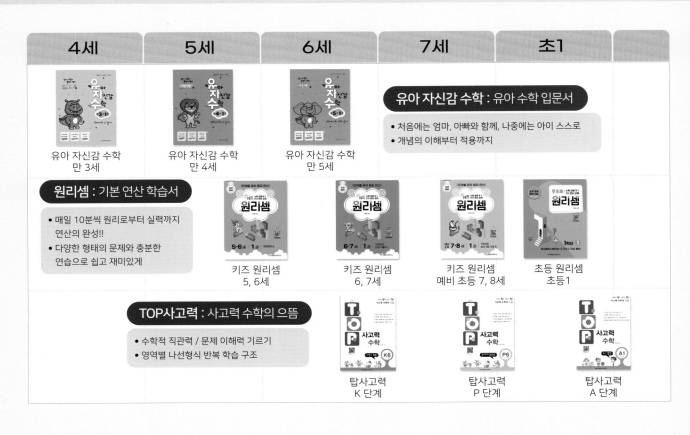

4세	5세	6세	7세	초1	

유아 자신감 수학 : 유아 수학 입문서
- 처음에는 엄마, 아빠와 함께, 나중에는 아이 스스로
- 개념의 이해부터 적용까지

유아 자신감 수학 만 3세 / 유아 자신감 수학 만 4세 / 유아 자신감 수학 만 5세

원리셈 : 기본 연산 학습서
- 매일 10분씩 원리로부터 실력까지 연산의 완성!!
- 다양한 형태의 문제와 충분한 연습으로 쉽고 재미있게

키즈 원리셈 5, 6세 / 키즈 원리셈 6, 7세 / 키즈 원리셈 예비 초등 7, 8세 / 초등 원리셈 초등1

TOP사고력 : 사고력 수학의 으뜸
- 수학적 직관력 / 문제 이해력 기르기
- 영역별 나선형식 반복 학습 구조

탑사고력 K 단계 / 탑사고력 P 단계 / 탑사고력 A 단계

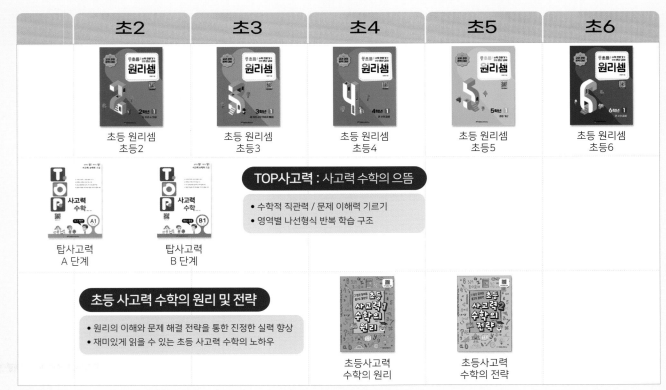

초2	초3	초4	초5	초6

초등 원리셈 초등2 / 초등 원리셈 초등3 / 초등 원리셈 초등4 / 초등 원리셈 초등5 / 초등 원리셈 초등6

TOP사고력 : 사고력 수학의 으뜸
- 수학적 직관력 / 문제 이해력 기르기
- 영역별 나선형식 반복 학습 구조

탑사고력 A 단계 / 탑사고력 B 단계

초등 사고력 수학의 원리 및 전략
- 원리의 이해와 문제 해결 전략을 통한 진정한 실력 향상
- 재미있게 읽을 수 있는 초등 사고력 수학의 노하우

초등사고력 수학의 원리 / 초등사고력 수학의 전략